曉雲

林◆海◆音◆作◆品◆

曉雲

文／林海音

遊目族

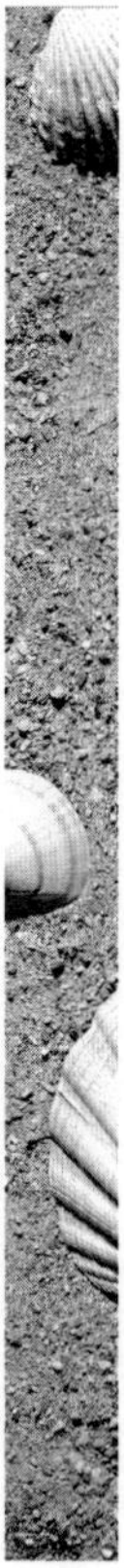

目錄

〈總序〉超越悲歡的童年

齊邦媛

在新的千年開始時，遊目族文化事業公司出版《林海音作品集》是一件極有魄力且影響深遠的文壇盛事。新版聚攏了已開始散失的作品，給它們注入新生命，使新世代的讀者可以看到上一代的文采風貌，也給已逝的世紀保住了珍貴的文獻。林海音的身世背景、生長過程和豐盛的文學生涯見證了二十世紀台灣的省籍融合和文學胸襟的開拓。她個人在大陸的生長經驗和對台灣本土作家的發掘與鼓勵，對台灣文壇有極大貢獻，也具有難於超越的代表性。

海音在三十七年由北平回到光復後的台灣。當那艘船駛入青山環繞的基隆港時，她的心中必有一種強烈的感動，因爲她回到父母生長的故鄉來了。她在《綠藻與鹹蛋》小說集的序裡說：「幾乎是從上了岸起，我就先找報紙雜誌看，先弄個破書桌開始寫作。」在這個書桌上開始了一個文人最豐富的一生。她不僅寫下了多篇必能傳世的小說和散文；也曾成功地主編聯合報副刊十年，提升了文藝副刊的水準與地位；更進而自己創辦純文學出版社，發掘、鼓勵了無數的青年作家。

林海音作品中所呈現的是一個安定的、正常的、政治不掛帥的社會心態。她的小說集《城南舊事》、《燭芯》和《婚姻的故事》中，多篇是追憶她童年居住北平城南的景色和人物。其中如〈惠安館〉和〈驢打滾兒〉等篇，雖是透過童稚的眼睛看大人的世界，卻更啓人深思。由於孩子不詮釋、不評判，故事中的人物能以自然、眞實的面貌出現，扮演他們自己喜怒哀樂的一生。〈金鯉魚的百襉裙〉和〈燭〉進一層探討女子在不合理的婚姻中抑鬱終生的悲劇。她的長篇小說《曉雲》寫的是台灣的一個自主自立的現代女子，「暗中摸索」人生與愛情。作者常用近似意識流的自敘法和象徵性手法，故事的發展和她內心的困惑有平衡的交代。文字風格的超逸，給全書抒情詩的情調。曉雲的處境引起的同情反而多於道德的評判了。

在《城南舊事》裡，〈惠安館〉、〈我們看海去〉、〈蘭姨娘〉和〈驢打滾兒〉四篇都可以單獨存在，它們都自有完整的世界。但是加上了前面兩篇和後面兩篇，全書應作一本長篇小說看。作者自己在〈冬陽．童年．駱駝隊〉一文中即說：「收集在這裡的幾篇故事，是有連貫性的。」讀完全書後，我們看出不僅全書故事有連貫性，時間、空間、人物的造型、敘述的風格全都有連貫性。

貫穿全書的中心人物是英子。時間是民國十二年開始。英子由一個七歲的小女孩長大到十三歲。書中故事的發展循著英子的觀點轉變。故事雖是全書骨骼，她的觀察卻給它血肉。英子原是個懵懂好奇的旁觀者，觀看著成人世界的悲歡離合，直到爸爸病故，她的童年隨之結束，她的旁觀者身分也至此結束，在十三歲的年紀「開始負起了不是小孩子該負的責任」。人生的段落切割得如此倉卒，更襯托出無憂無慮的童年歡樂的短暫可貴。但是童年是不易寫的主題。由於兒童對人生認識有限，童年的回憶容易陷入情感豐富而內容貧乏的困境。林海音能夠成功地寫下她的童年且使之永恆，是由於她選材和敘述有極高的契合。

偌大的北平城，跨越了極深廣的時空的古城，在一個孩子的印象裡卻只展示了它親切的一角——城南的一些街巷，不是舊日京華的遺跡，卻是生生不息的現實生活，活得熱熱鬧鬧的。英子的家已經有了四個妹妹和兩個弟弟，胡同口還有「惠安館」中的瘋姑娘和苦命的妞兒。她們傳奇性的結局是故事，但是卻不是陰黯的故事。作者將英子眼中的城南風光均勻地穿插在敘述之間，給全書一種詩意。讀後的整體印象中，好似那座城和那個時代扮演著比人物更重的角色。不是冷峻的歷史角色，而是一種親切的、包容的角色。《城南舊事》若脫離了這樣的時空觀念，就無法留下永恆的價值了。讀者第一遍也許只看故事，再回頭看看，會發現字裡行間另有繫人心處。林海音的文筆最擅寫動作和聲音，而她又從不濫用渲染，不多用長句，淡淡幾筆，情景立現。因此看似簡單的回憶，卻能深深地感動人。有了這樣的核心，這些童年的舊事可以移植到其他非特定的時空裡去，成爲許多人共同的回憶。

《城南》一書中人物除了英子的雙親之外，與她童年歡樂的記憶有最密切關聯的要算宋媽了。在各篇中宋媽可說是無處不在，無疑地也是讀者印象中最難忘的人物。這位命運悽苦的卑微人物，在英子的回憶中自有她的智慧和尊嚴。作者在講別人的故事時常會插上一段描寫宋媽的文字。這些片段連綴起來合成一幅鮮明的畫像——不僅是宋媽的畫像，也可說是那個時代北方鄉村婦女的典型了。她被生活所迫，來到英子家中幫傭，但是主僕關係之外漸漸發展出一種朋友的關係。她不僅直接分享這家人的喜怒哀樂、生老病死，也常常是英子的人生課程的啓蒙師。她淳樸簡單的智慧時時是童騃的英子與現實世界的一座穩妥可靠的橋。

林海音在台灣開始寫作的年代（民國四十年前後），西方文學批評理論還沒有影響中國作家。至少像結構主義等還沒有今日響亮。但是成功的作品自有它完整的結構，讓錯綜複雜的人際關係各就其位，整體綜合再顯現出全篇的主題。〈驢打滾兒〉就是個很好的例子。在表面上它幾乎沒有緊湊的情節。但是在這個九歲的女孩——英子眼中看到的小世界後面卻是一個悲慘的大世界。從頭到尾作者不曾逾越這個孩子有限的觀察。她的天地幾乎是局限在五十年前北平城裡的一個四合院裡，院子裡住著的是她和樂溫飽的一家人。家就該是這個樣子，她弟弟的奶媽——宋媽是個會講鄉村故事、會納布鞋底子、會抱著她妹妹唱兒歌：「雞蛋雞蛋殼殼兒，裡頭坐個哥哥兒……」的人，與她們生活息息相關。英子看不到，也想像不到宋媽夫離子散的家庭，更不用提人生更多悲悽割捨了。她只知道宋媽爲了「一個月四塊錢，兩副銀首飾，四季衣裳，一床新鋪蓋」到她家幫傭，一做四年。宋媽和她那「黃板兒牙」的丈夫那時大約都不到三十歲，卻給人一種蒼老的感覺。每次這個男人牽著驢來的時候，故事的發展就升高一層。這匹愚鈍固執的牲口成了貫穿全局的象徵。四年前宋媽剛來時，這頭驢首次出現，然後每年來兩次，都被拴在院子裡，「滿地打滾兒，爸爸種的花草，又要被蹧踐了。」

驢子每次的出現不僅是作情節的聯繫，也襯托乃至增強了人物的造型。宋媽的丈夫又來的時候，終於說出了家中眞相——宋媽日夜掛念的兒子小拴子早已在河裡淹死了。那個出生連名字都沒有的「丫頭」，在抱離母懷當天，還沒出城門就送給了不相識的人！當宋媽悲泣時，這頭驢子在吃乾草，「鼻子一抽一抽的，大黃牙齒露著。怪不得，奶媽的丈夫像誰來看，原來是牠！宋媽爲什麼嫁給黃板兒牙，這蠢驢！」很明顯的，在小孩的眼中，驢與宋媽的丈夫的形象已經合而爲一。這個典型的「沒有出息」的失敗者與他的驢是分不開的。他每次來都趕著驢穿過幾十里的黃土地，藍布的半截褂子上蒙了一層黃土。這黃土是北方乾旱的原野上長年吹著的風沙，是大自然的勝利的見證，也是質樸愚騃的農民終歲勞苦奔波於生計的場所。

如果不穿透作者故意佈下的童稚的迷茫，〈驢打滾兒〉似乎有些詩意的情調。這篇城南舊事和許多童年美好的回憶一樣，已在遙隔的時空裡濾掉了許多愁苦，只剩下笑淚難分的懷念。只是宋媽和與她命運相同的女子不允許我們忽視現實。不僅那黃板兒牙的男人和驢子滿身塵沙，作爲故事題目〈驢打滾兒〉的小點心也是帶著卑微但卻親切色彩的鄉下食物，用世代相傳的土法蒸的黃褐色的小圓餅，在綠豆粉裡滾一滾，也就是塵土色了。宋媽把英子帶出她舒適的小院子去找尋丫頭子。在古城塵土覆蓋的街巷中走著，吃幾個這種塵土色的驢打滾兒小餅，繼續穿街走巷找尋那個沒名沒姓的骨肉。這一場無望的掙扎，注定了要失敗的。尋覓無望之後，英子的小世界有了顯著的變化：宋媽不再講小拴子放牛的故事了，兒歌也不唱了。以前她把思子之情灌注在納得厚厚的鞋底上，好似祝禱兒子能穩穩地站在無母的歲月裡等她回去團聚。如今「她總是把手上的銀鐲子轉來轉去的呆看著，沒有一句話。」

故事的結束可以說是傳統式的，宋媽終於跟她的丈夫回鄉去了。她希望再生孩子。小拴子和「丫頭」也許是命中與她無緣，因爲中國在世世代代的希望幻滅之後，不得不將生死聚散歸爲緣分。如同英子的母親說的，「是兒不死，是財不散。」宋媽對命運最大的挑戰大概是再生些兒子吧？她騎驢上路的時候，「驢脖子上套了一串小鈴鐺，在雪後新清的空氣裡，響得眞好聽。」這是第一次有歡愉的事與這頭驢有關聯。也許小女孩只在想宋媽不久即將再生可愛的小孩，所以鈴鐺響得好聽。實際上，宋媽的困境並未結束。但是人活著總得有份希望，即使是那頭驢灰撲撲的脖子也掛了一串鈴鐺。在生活的實際奮鬥中，絕望也不是件容易的事。

林海音在後記中說：「每一段故事的結尾，裡面的主角都是離我而去，一直到最後的一篇〈爸爸的花兒落了〉，親愛的爸爸也去了。」宋媽這樣地離去，是悲是喜，似非英子所能理解，但是書中因爲有了宋媽和她的故事，而加添了多層的深度。《城南舊事》在英子的歡樂童年和宋媽的悲苦之間達到了一種平衡。掩卷之際，讀者會想，「看哪，這就是人生的最簡樸的寫實，它在暴行、罪惡和污穢佔滿文學篇幅之前，搶救了許多我們必須保存的東西。」

這一篇我爲《城南舊事》寫的序文原是我在七十一年在美國加州大學講授台灣文學的一篇講稿，七十二年「純文學出版社」重排此書時林海音要我把這份分析與講解寫成序文。

初識海音是在讀她的《曉雲》之後不久，對她的文采與書中濃郁的關懷之情深感佩服。六十四年我主編的《中國現代文學選集（台灣）》英文本由美國華盛頓大學出版社發行，海音的〈金鯉魚的百襉裙〉是第一篇短篇小說，讀者反應很好，記得當我們英譯送請編審委員吳奚眞教授審稿時，一向嚴肅，不苟言笑的奚眞先生竟然感動落淚，暫忘了兩種語言的差距，在〈婚姻的故事〉中，作者以敏銳纖細的人生觀察寫出了二十世紀初葉，中國社會所允許，乃至鼓勵的種種性別不公平現象，其中〈燭〉尤其令人難忘，那個必須隱忍的「賢德」女子竟逃避到一燭光照的蚊帳之內，自囚終生！平日爽朗談笑，豁達舒展的海音，卻在寫小說時以無比的慧心將她的觀點濃聚在一條裙子、一支燭光中，令讀者在引伸思考之後感動難忘，和宋媽乘坐那匹驢子的鈴聲一樣，在雪後的清晨，響著無數可能的未來。

自一九七〇年代，殷張蘭熙將海音的小說英譯集成《綠藻與鹹蛋》等書，她也已將《城南舊事》前三篇譯成英文。我七十四年遭到車禍坐在輪椅上，將後兩篇譯出，寫了序，八十一年由香港中文大學出版社出版。在那本淡雅美麗的封面上有冬陽，有駱駝，書名 Memories of Peking- South Side Stories。下面是作者林海音，英譯者殷張蘭熙和我的名字。念塵世生命之脆弱短暫，更感文學生命之久長。這一本書竟成了我們數十年談文論藝最美好的見證了。

〈序〉

作家・主編・出版人

鄭清文

三島由紀夫（一九二五—七〇）是多種身分的日本著名文學家。不過，開高健（一九三〇—八九）說他「一是評論家，二是劇作家，三是小說家。」三島如果聽到這些話，或許會感到一點悲涼吧。

林海音先生（我們都這樣稱呼她），也是一位身兼數職的文學家。她是主編、作家，也是出版人。從作品而言，她寫小說，也寫散文。

聽說她做《聯副》的主編時，因爲登了一首小詩，犯了禁忌，引咎下台。後來，她創辦了《純文學》雜誌，自任編務。不管是《聯副》或《純文學》雜誌，做爲一位主編，她具有獨特的眼光和作爲。當時戰鬥文學昌盛，她卻能把目光轉向純文學，刊用不少被其他報章雜誌所摒棄的優良作品，可說膽識過人。

林海音曾經告訴我，黃春明有兩篇文章，寫得很好，卻不敢用。這是時代的無奈。後來，她還是冒險用了。這是她喜愛好作品，敬重好文學的天性。她還告訴我，她退了一位名作家的稿。我很驚訝，也很好奇，問她用什麼理由說服對方。她說，這種文章不能登，否則會損傷作者以往的盛名。這是一位好編輯的面目。

林海音創辦《純文學》雜誌，是她的夙願。這份雜誌雖然只維持了五年（一九六七—七二），卻登了不少具有代表性的作品，包括小說、詩、評論和散文。這份雜誌在文學比較貧瘠的時代，提供了一個非常重要的園地。這也是她對台灣文學的貢獻。辦雜誌，最大的困難是稿源和讀者。以林海音的眼光和待人接物的風範，稿源問題似乎較小。但是因爲她標榜純文學，爲讀者劃了一條界線，限制了雜誌的銷售量。這也是純文學雜誌的宿命。

實際上，一位優秀的編輯和一位優秀的作家有一個共同點，就是能夠賞識好的文學作品。林海音是一位主編、作家和出版人。其中，最重要的應該是做爲作家的角色。她寫小說，也寫散文。她的小說遠比散文重要。她最後的小說《孟珠的旅程》，在一九六七年出版，做爲一個小說家，她已結束。不，應該說是已完成。以後，她雖然繼續寫文章，卻以散文爲主，包括遊記。她寫小說的終結點，正是她創辦《純文學》的起點，可見她爲了這個雜誌，犧牲了小說的創作。

林海音所處的是一個特殊的時代，很多人寫大時代、大主題。她卻寫生活、寫愛情、婚姻與家庭。她寫作的重點是女人的歡喜和悲哀。她的文學能深入社會，所以更能寬闊和深厚。

她雖然寫日常生活，卻也未忘記她所處的時代。她寫二十年代的北京，三十年代的南京，以及以後的台灣。她寫時代的交替，戰爭的陰影，兩地人民的阻隔。

台灣的文壇不是緩和前進的。一下子戰鬥文學，一下子現代主義。林海音文學，便是在這些文學的大潮流中間，守著自己的分寸。有一段時期，文壇風行文字的雕鑿，林海音卻充分使用生活語言，用她那敏銳的感受和細膩的筆觸，寫下社會的生態。她是擅於寫時代的女人。

她所處的，不管是中國或台灣，都面臨一個急激的變化。這使人和人的關係更加複雜，也更加尖銳，因此也導致各形各色的悲喜劇。社會和文學都在轉變中，林海音並不扮演一個開創者，她只做一座橋。

從前，有一位文學評論者，喜歡提出一些驚人的見解。他說某個文壇新星出現了，舊的作家，像葉石濤，都已過時了，只能做墊腳石。現在，二十年過去了，葉石濤還是屹立不墜，新星也沒有變成巨星。喧嘩和平實之間，應該如何選擇，是需要一點時間的。

金字塔並不是蓋在半空中。它是用一塊一塊的大石頭，紮實的堆上去的。墊腳石，其實也就是礎石，是金字塔的一部分。台灣的文學，一直沒有建立在穩固的基礎上，是因爲大家都想做堆在金字塔尖頂上的石頭。大家不知道要有更堅實的基礎，才能堆得更高，文學是多樣的，基礎卻是一種——從生活開始，正如繪畫要從素描開始一樣。

林海音把傳統文學的紮實基礎帶到台灣來。但是，在追求飛躍的文壇，她所受到的注意，除了《城南舊事》，似乎略嫌不夠。她的文學，聲光都不大，卻已樹立了一種典範。我們從她的作品，可以看到文學的莊嚴和尊貴。她能編，也能寫。兩者都使台灣的文學更爲充實。

林海音是一位直爽、敏銳，勇於力行的文壇長輩。她廣結善緣，敬重同輩作家，也鼓勵後輩。做人、做文學，她都一貫。由於她有這種特質，她一直走著平坦的路。她自己走這一條路，也帶著別人走這一條路。這是林海音，同時也是林海音文學。

曉雲

一

晶晶一定是個聰明乖巧的女孩，從她的活潑的舉止和那對大眼睛聽講時的神氣，就可以看出來。但是晶晶的媽媽和晶晶並不相像，她的眼梢微微向上翹著，眼睛雖然小，卻也很俏麗的。此外，晶晶是圓臉型，她的媽媽是長臉型，女兒的眉毛濃，媽媽是淡掃蛾眉。兩人除了都具有整潔的牙齒外，實在看不出這對母女有什麼相似的地方。

今天是我第一天來做梁晶晶的家庭老師。我講功課的時候，梁太太幾乎沒有離開這書桌，表面上是不時地督促晶晶注意聽講，我卻猜得出，她是在考察這位家庭老師的能力如何。當然，她祇有這麼一個女兒，疼愛是必然的，但也由此可見她的精神和能幹。

功課講完以後，梁太太已經吩咐叫做阿蘭的女工給我拿來濕毛巾和一杯熱可可，兩片從電烤爐烤出來的麵包。梁太太殷勤地請我擦了手就吃。我覺得很難為情，因為可可和麵包祇拿來一份，分明是祇要我一個人吃的。連阿蘭算上，我怎麼能讓三個人看我一個人吃東西呢！所以我局促地沒有動它。我第一天來到這陌生的家庭，心情多少有些緊張，對於飽餓已不太有感覺了。而且在自己的家裡，我祇有被媽媽一個人看著我獨自吃東西的習慣。

「不要客氣呀！夏小姐。」梁太太又把碟子朝我面前輕輕推了推。我祇好一邊伸手去拿了一片麵包，一邊笑笑說：「那麼——您呢？」

「我嗎，弗要客氣，我晚飯吃過不久。」

「晶晶，你呢？」我又問還在低頭整理筆記的晶晶。

「她嗎，她不要吃嘍，晚飯吃太多嘍！」媽媽替她回答了，但是晶晶一扭腰，一斜頭，伸出手到麵包碟裡，淘氣、嬌憨地向媽媽要求著：

「我要！」

媽媽也寬恕地瞪了一眼說：「好罷，第一天，陪老師吃一片吧！不然爸爸回來要罵你啊！」

晶晶左手拿了麵包，右手仍在拿筆寫什麼，我伸頭一看，原來她在筆記簿封面上的「老師」那一欄塡上了「夏小雲」三個字，然後遞給我看，並且口中喃喃地唸叨著：

「夏小雲，夏天一朵朵小小的雲兒！」說完她又淘氣地向我笑了。

「錯了，你把我的名字寫錯了一個字。」我放下麵包，拿起筆來在一頁空白的紙上寫了「夏曉雲」三個字，然後我也笑著唸道：

「夏天早晨的一朵雲兒！」

「啊！原來是這個曉字呀！我曉——得了！我曉——得了！」她把曉字故意拉長聲唸得重重的，然後咯咯地笑了。

晶晶的確是一個逗人喜歡的孩子，我對梁太太說：

「晶晶將來是個女詩人。」

「我不要做！」

「你一定要做，而且是一顆『亮——晶——晶』的女詩人。」我也把她的名字唸出來，我們都輕鬆地笑了。

梁太太在一旁用一種彷彿欣賞的眼光望著我們微笑。不知道她有多大年紀，應當比媽媽還大的樣子，但是她的生活優渥，人又精明，打扮得頭光腳亮，非常整潔，比起散懶的媽媽來，卻又彷彿年輕些呢！

梁太太是著意修飾過的，她梳著一個非常合她身分和年齡的髮型。頭髮整齊而不呆板的全部向後攏，後面略高的挽起一個鬆鬆的髻，斜插著一根圓珠簪。在街上常常看見這樣打扮的中年婦女，她們大半是穿著入時，坐著自用三輪車。梁太太正是這類型的。如果媽媽肯把她的髮型也改成這樣，我相信她會比梁太太年輕好多。

但是我如果勸媽時，她一定會說：「我這樣打扮幹麼？打扮了給誰看？」唉！如果爸爸還活著，也許她就不會這樣了，一個女人沒有了丈夫，難道一切就變得不同了嗎？男人會這麼重要？

我從媽媽又想起一件事來，便對晶晶說：

「其實我也可以叫小雲的，因為我媽媽的名字叫曼雲，她生下了我，就隨便叫我小雲小雲的，後來上學了，才正式的起名叫曉雲。」

「你的媽媽一定是怕你上學以後不愛寫字，所以給你改一個比較難寫的字……」梁太太聽了連忙制止她：「晶晶！不能這麼沒規矩！」晶晶吐了一下舌頭，不敢再說了。

「沒關係，」我向梁太太笑笑，又回過頭來對晶晶說，「媽媽生下我，是正在天剛亮的早晨，所以起名曉雲，不是很合適嗎？」

「早晨的雲，又是什麼樣子呢？」

「早晨的雲如果被太陽照著，也像晚霞一樣有著玫瑰般的紅色。但是晚霞的顏色是濃的，朝霞就不同了，那淡淡的玫瑰紅，像一塊輕紗披在少女的頭上……」

「好美喲！」晶晶也聽得如入夢幻中，直著眼看我臉，「就像你的嘴巴那樣淡淡的玫瑰紅色吧！」

我給晶晶這樣一說，很不好意思，我摸著自己微熱的面頰，忽然想起我的兩頰的玫瑰紅色，實在並不是好的象徵，每天上午，我的臉是蒼白的，到了下午，就慢慢地泛起了一層紅暈，它是很明顯的一種病狀，晶晶也許不會知道，怎能瞞過梁太太呢？我很怕被她看出，便假裝地對晶晶說：

「我今天搽了過多的胭脂。對了，我再給你講個故事：古時候有一個皇帝，他寵愛著一個美麗的女人。有一天皇帝做了一架水晶的屏風，放在書房裡，他就坐在屏風後面，那美麗的女人進來了，直朝皇帝走去，竟沒有注意前面有一架屏風，結果她的臉碰在屏風上了，受傷的面頰竟紅得像剛要散去的早晨的雲霞，更加美麗了。於是皇宮裡的女人們都學著她用胭脂來搽臉。女人臉上化妝搽胭脂，就是這麼個由來呀！」

晶晶聽得很有趣，不住地看著她的媽媽和我的臉，然後說：

「媽媽和你都搽了胭脂，假裝碰在水晶屏風上受傷！」

「好了，夏小姐很會講故事，你也該讓夏小姐回家啦！」梁太太這樣說，我不由得看看腕錶，可不是，已經九點半了，講好的是每天晚上七點到九點補習兩小時，現在竟多饒了半小時講故事。

我從椅上站起身，回過頭來才發現，搭在座椅背上的一件很講究的花條緞子男寢衣，已經被我壓得皺巴巴的了。我想這一定是男主人的衣服，等他回來穿著的時候，不定怎麼罵我呢！

梁太太很周到，她要叫阿蘭給我喊車子，說是外面在下著牛毛小雨。我一定不肯，告訴她說，我家離這裡，可說是一水之隔，過了川端橋，就幾乎到我家了。而且我也帶了雨衣。

晶晶又說了一句淘氣話：「很遠喲！你現在要從台北縣回到台北市去呢！」

我笑笑拍拍晶晶的頭。她發育得很好，個子高得快趕上媽媽了，兩肩平寬，並沒有被學校的矮小課桌折駝了背。梁太太則是嬌小的身材，和我對立著說話，幾乎是要仰起頭來的，我這細高個子！我是受了我那高大北方人的爸爸的遺傳，難道晶晶也是嗎？

我在穿鞋的時候，晶晶和她的媽媽都在一旁，梁太太並且爲我把雨衣的帽子翻起來蓋住頭，她摸了摸我的頭髮說道：

「好一把頭髮，夏小姐，又黑又亮！」

我回眸向她笑笑，她對我的愛撫，像對晶晶一樣，都是把我們當做她的小孩子似的。實際上也差不多，也許她晚婚，所以晶晶比我小，我不過比晶晶大十歲。一個女人可能二十歲生孩子，像我的媽媽；也可能三十歲生孩子，像晶晶的媽媽。時光稍縱即逝，十年就像流水般過去了，媽媽常有的感慨，就是這意思吧！

阿蘭開街門送我出來，她說：「認識路嗎？卡暗呀！」

我說：「認識認識，沒問題。」

這是安靜的半鄉住宅區，夜來得比市區早，阿蘭開燈和開門，驚動了鄰家的狗，一隻汪汪地叫，別隻也跟著叫起來了。我實在心裡有點害怕，但也得硬起膽子往前走。

沒有聽見關門聲，難道阿蘭還在望著我的後影嗎？她會怎麼想？一個可憐的女孩子，晚上出來鄉下教書賺幾個錢，比她也強不了多少呀！她是不是在這麼想？

我爲什麼想到這麼多，我有太多的自卑感。

雨帽翻起來並不好受，我的一大把長髮團在後脖子裡搔弄得發癢。我把雨帽放下了，手伸入後頸，把頭髮挑到雨帽外面來，讓它們披散在背上，這樣就舒服了。我一手捏著雨衣領，另一手插進雨衣口袋裡。讓極細極細的雨絲飄到我臉上、頭上，祇是不要我的喉嚨吹著風，因爲它這麼不爭氣，一來就傷風和咳嗽！

說實話，我並不頂認識路，我從黑暗中來，又從黑暗中去，是在暗中摸索。我祇是喜歡雨中獨行，另有一番滋味。讓我慢慢走吧。好在我的時間並不寶貴，自從病後，我的生命便在半休狀態。

前面的電線桿上有一盞燈高照著，可以看清楚一部分路了，在燈光下，空中雨霧飛揚，變成一片朦朧的黃色，離燈光近的很濃，慢慢擴大圈子而稀淡了，終歸又回復到漆黑。走到電線桿下，正好對面來了一輛三輪車，這是條狹窄的小路，我連忙貼近電線桿站直，好讓車子過去，並且注意我的呢長褲腳，不要被濺上泥點。抬頭時發現車子上沒有支起篷，車上的男人像我一樣的喜歡被雨淋。我沒有看清楚他的臉，走過電線桿，不由得又回頭望望，剛好車上的人斜過去，許是他也正在研究我是什麼人。但他的車子走遠了，我也沒入黑暗中，他不會看見我了。

我在夾雜著人家的竹林中穿來穿去，方向雖然不清楚，但我相信終會走出這些曲折的小巷，不久就會來到有公共汽車的大路上。

我的左面是一排人家，埋在叢密的竹林中，右面是一條小溪，小溪過去有人家，也有稻田。一兩聲青蛙咯咯的叫聲，為這夜景配上音樂。我走在小路上，雨鞋踩著爛泥，噗唧噗唧地響，單調的聲音，特別顯得這環境的寂靜。

今後我要每天在這樣的路上行走。有這麼一段時間供我在這樣的境界排遣，也是不錯的。我可以遐想，可以回憶，但我多半的時間該是用在注意腳下的小路吧，因為它是這麼黑，如果我想多了，不留神腳底下，就會掉進小溪裡了！

但是我能在這竹林裡走多久呢？我是為給晶晶補習而來的，這是她在學校的最後一學期了，現在是一月。二月、三月、……七月，還有半年晶晶就畢業了，再到她考中學，頂多是八個月的光景。等晶晶上了中學，我就完成任務，不會再到這裡來了，因爲我祇是個高中畢業生，在習慣上也祇能教小學生，雖然初中一的學生，我也還勉強可以教。

第一天就使我喜歡上晶晶了，如果我有個像晶晶這樣的妹妹，生活該是怎樣的不同。爲了缺乏同胞的姊妹，在寂寞生活中，養成我不頂合群的性格，還被人認做是孤僻。我不說話，是因爲不知道應當怎樣和人說；我怕說話，是因爲有太多使我不願意回答的問題。這樣，人家就要說我是心事重重。我願意到最陌生的環境去，開創我的新生活，像剛才在梁家，我不也說了很多的話嗎？

在過去的日子裡，和我談得最多最投機的，不是媽媽，而是姥姥。但是……

但是前面有了大亮光了，我要加緊走幾步，媽媽要等急的。多講了半點鐘的話，又繞了不知多少冤枉小路。我來看看，啊，已經快十點鐘了。

公車站牌下，還排著最後的乘客。我原可以自己走過川端橋回家的，巧的是剛好來了一輛車，我便隨著兩個乘客上去。祇有兩站就到家了，我可不要跑到車尾巴的空座位上去受顚簸，就站在車掌小姐的旁邊。

車上的乘客很鬆，人們不像白天那麼瞪起眼睛，聚精會神的，預備和「今天的生活」打一仗的樣子。現在正是像小說上常常描寫的那種「拖著疲憊的身子回家」了。懶洋洋的，每個人的面孔都木然無表情。這是一輛破車子，響得厲害，它也是「拖著疲憊的身子」嗎？

車過川端橋，我從車掌小姐的窗子望出去，天空遼闊，遠處的山上綴著點點閃爍的燈光。好像那一帶就是指南宮，還是好幾年前學校旅行去過的。很記得那個白髮老婆婆赤著腳板爬上台階的情景，心的虔誠使她舉步輕鬆，她微笑地告訴我們說，她在文山採茶，親自用手摘了今年的第一次茶心，敬供菩薩，爲了到海外多年剛歸來的兒子。

車子猛然一停，我的臉撞到鋼柱子上了，我爲自己的發呆很難爲情，看了車掌小姐一眼，她也正爲我的傻樣子抿嘴笑呢！如果我是個男人，她一定以爲我誠心在這兒泡她，不肯到空位子上去坐，碰了一下柱子，豈不活該？我又想起剛才給晶晶講的水晶屏風的故事，不覺也好笑了。

我帶著笑意下了車，卻見母親站在售票亭的簷下等我。「笑什麼？撿著饅頭啦！」媽媽向我開玩笑。

「喲！」我不禁輕喊了一聲，「您還來接我幹麼？」

母親帶傘過來接我。台北市的雨倒下得大些，她說：「幾點啦？我正奇怪你怎麼這麼晚，不放心。」

「您準知道我坐公共汽車嗎？要是接空了呢？他們直要給我喊三輪車，我不肯，走繞多了路，所以遲了。」

我們躲在雨傘下偎依前行。媽媽的舊絲棉袍下襬鬆斜著，被雨水打潮了，很難看。想著剛才梁府上那位整潔的夫人，很爲母親不平。但想想，母親並不是不能打扮成那樣，她一向就是這麼散懶慣了的。

「怎麼樣？還教得來嗎？」母親問我。

「馬馬虎虎。」

「小孩子怎麼樣？」

「蠻聰明，其實她不請家庭教師也可以，我祇是看著她做功課就是了。」

「唉！有錢的人家還不是得樣樣齊全。」母親又感慨了。

「也是因爲人家祇有一個女兒的關係，格外地疼。」我說完有點後悔，我不也是一個獨女兒嗎？媽媽不會以爲我是有心這麼說吧！我連忙又加上一句：「反正有錢沒處花啵！」

媽媽並沒有注意這些。到家開門的時候，她忽然想起來什麼，說道：

「噢，美惠來找過你。」

「爲什麼不讓她等著我？」

「她明天還會來，叫你晚飯給她包幾個餃子吃。」

「她有說什麼嗎？」

「沒跟我說什麼，但是我想她那樣子一定是找你有事。」

「我知道，她也許快結婚了。」

「眞的？」母親略感驚奇地輕喊了一聲，隨即沉默了沒再說什麼。我們走過小庭，拉琪從矮松後牠的小木屋裡跑出來迎接我，我喝退牠，因爲牠的濕泥爪會弄污我的漂亮的新紅雨衣。我也知道母親忽然沉默是爲什麼，她是在想那個一心想做媽媽的女婿的俞文淵。

世間的事眞不平，也難料，它很少順利。美惠和李新一心相戀，卻偏有個對外省人抱著毫無理由的成見的爸爸在反對。而我呢？媽媽和美惠一定會談到我和文淵。她們會像別的人們一樣，以她們的天秤，來把我們稱量一番，把砝碼一掂配，他半斤，我八兩，認爲是最合適不過的婚姻。

如果是那樣，媽媽對於自己的婚姻，又是怎麼稱量的呢？

走進屋來，我到穿衣鏡前，擦抹被打濕了的頭髮。鮮紅的雨衣配著我的白淨的臉，我對自己也不免興起了「我見猶憐」的感覺。祇是嘴唇蒼白些，我不由得用小手指順嘴唇的弧形畫了一圈，望著鏡中紅色的影子發了呆。

「也不說搽點兒口紅。」母親從身後過，責備我。

「您知道我一向不喜歡胭脂粉兒的。倒是您——」我看著母親那種以無數髮夾來管制頭髮散落的髮型，說：「化妝是您這個年齡的女人的事兒呀！像我教書這家的梁太太，濃胭脂厚粉兒的打扮起來，到底俐落多了。」

「我不習慣，在學校做事的人也不宜於太打扮。」她毫不在意地說。「吃了點心早些休息吧！我給你熬了紅棗粥。」

「啊！豪華！何必呢？」紅棗在北方雖不算什麼，但在台灣可值錢了，買棗是用秤金子那樣的小稱，一兩一兩稱的。

「你教書辛苦了，更得補補。」

「那麼我教書的錢還不夠吃紅棗的哪！」我吃著紅棗笑著對媽說，「其實，我想梁家他們會給我弄點心吃，您不要每天給我煮這煮那的，有工夫還是看您的小說，聽聽廣播劇吧！」

「對了，我忘了問介紹的人，不知道每月算多少錢給你。如果划不來，就趁早不教，六年級的學生，責任又重，風裡來雨裡去的。」母親坐在對面看我光吃紅棗，不吃粥，又給我添了幾顆紅棗。

「不必問了，是您朋友的朋友介紹的，您還得轉幾道彎去問，反正有行市，到府專任，三百起碼。」

媽媽聽著笑了，捏了一下我的臉：「壞嘴巴！好在你教書是解悶兒，錢多少也無所謂，祇要教得順心。」

媽媽收拾碗筷去洗，我也梳洗換好睡衣，先鑽進被筒裡。我沒有立刻躺下，靠著枕頭屈膝坐著，兩手抱著膝蓋，把頭埋在上面，我在想：

——如果早知道高中畢業考不取大學的話，倒不如像美惠那樣，初中畢業去考師範了。偏偏又病倒一年，功課都荒疏了，再也不要做大學之夢了吧。

——可是高中畢業生簡直是塊廢料，能做什麼呢？不能做合格的小學教員，做公務員也祇是雇員的名義。除了結婚別無出路。那就難怪媽媽看中了文淵！我總是媽媽的一樁心事，我也不是不想爲媽媽了卻這樁心事，但是，無論如何，對於文淵，我與不起對他情感進步的情緒，儘管他的年齡和我相當，儘管他有輝煌的學歷，無限的前程，正直的人品，而且馬上還要掛上留學生的頭銜。

——母親和美惠都希望我和文淵的感情日增，最好能夠在他出國前訂婚，但是……

母親進來了，她看我埋頭在膝上，擔心地說：

「怎麼還不睡？」

「在等您。」我抬起頭來說。

母親去拉窗簾，我順眼望出去，雨已經停了，彷彿有幾顆星，但願明天是個好天氣。

二

我穿了藍灰格子呢的瘦腳長褲、白色毛衣，牽著拉琪去買菜。菜籃讓拉琪叼著，引起路人的注意，他們不斷的看我和我的拉琪，並且露出有趣的笑容。仔細看看，拉琪也眞可笑，牠的渾身的黑毛光得像緞子，跑著小快步，屁股一顚一顚的，是爲了使出全身的力量在支持那個菜籃，忠心耿耿的小奴才！

我今天也覺得人很輕鬆舒適，穿了這身衣服，被太陽照著，微微的出汗了。皮帶雖握在我的手裡，卻隨拉琪牽著我走。牠熟習了，有了菜籃，就知道向菜場去。

今天要包一種特別的餃子餡給美惠吃，給她一個驚奇，這小饞鬼！美惠是注定要和外省人結婚的，而且是北方人。她這麼喜歡吃麵食，實在是受了我家的影響。初中三年同窗，同坐在一排位上，當時我們倆的個子是差不多高的，但到了高中分手，她在師範讀成個小胖子，我卻不斷的向高處竄長！

是讀師範的時候，她家搬回南部去，所以她每個星期就到我家來過一夜，吃麵食的習慣就是這時養成的，三年於茲，倒讓她吃上了癮！而且她也差不多都會做了：包餃子、烙合子、擀麵條。這倒是李新的福氣，娶了一位台灣小姐，而且會做他家鄉的麵食，他也要感謝媽媽和我呀！

在菜攤上我看見了瓠子。爲什麼今天不吃瓠子牛肉餡呢？它可以代替我在北平常吃的西葫蘆羊肉餡，想起那個味道，我要流口水！還得到中藥鋪買點胡椒粉，記得姥姥拌餡的時候總是要放些的。

再帶一些水果回去，每年最後的橘子是屬於草山的，小黑硬疙瘩，鐵球似的。

我一手提著裝得滿滿的菜籃，一手牽著拉琪的皮帶，這回牠輕鬆了，我卻加重了負擔。

吹著口哨的青年，騎車從我身旁經過，他回頭擠起一隻眼睛來望著我，輕唱著義大利民歌「美麗的姑娘」，並且給它改了詞：「有一個美麗的姑娘，生長在這寶島的地方……」

歌聲遠去，還可以看見他騎在車上搖擺著身體。

我突然有一種戀愛的慾望。胸懷像一池漲滿的水，多麼盼望有人向她投一粒石子，濺起一些水花，撩開幾層漣漪！但那人既不是文淵，也不是這過路的青年。

我的臉這時也許脹紅了，幾絲頭髮被風吹貼在左面頰上直發癢，我把它們全部由後頭攏到右邊來。手一撒，皮帶掉下來，拉琪往家跑去，汪汪地叫喊，原來竹籬外站著一身綠打扮的美惠。

「害你久等了！」我喘著氣緊走幾步趕到門口，從小錢包中掏出開門鑰匙來。

「吃什麼？」她不顧一切，先向菜籃中探望。

「你昨天說要吃什麼來著？」

「眞的？餃子？」她高興得拍巴掌，轉圈圈，這是教兒童唱遊教慣了，職業的姿勢！

「李新怎麼不來？」我問。

「誰要他來！」她噘起嘴，假生氣，其實是得意。

「裝蒜！」我笑罵她。

「他如果來，有一個人也要跟來的。」

她當然指的是俞文淵。

我不想回答什麼，也懶得張嘴，便從鼻孔裡「哼」地笑了一聲，我想美惠一定會以爲我這是對文淵表示不屑的態度。她如果這樣猜就不對了，我並不討厭文淵，而且願意和他做個兄妹般的朋友。他確是個好兄長，正正經經地說著有益世道人心的話，見解正確，計畫周到，是一種極易博得老丈人們歡心的人，他又何必一死兒認定了我？

也許因爲我的沉默，美惠也不說什麼了，她這回眞的噘起了嘴。

「生氣啦？」我低下頭笑問她。

「誰？是你還是我？」她反問我，腮幫子紅紅鼓鼓的，但隨後卻噗哧一聲笑開了。

唯有和美惠在一起，才保持著我們學生時代的那點樂趣。她雖然在婚姻上經過一番掙扎，可並沒有削去她的銳氣，她仍是那麼開心、衝動，哭和笑是平均發展的。我呢，剛好相反，難得把哭和笑表現得那麼火熾，也就難怪我給人的印象是和美惠迥乎不同了。但我們倆確實是在不同性格下成了好朋友，一定，我們還是有些什麼地方在互相吸引著。

在同學校的時候，教英文的施老師，她最喜歡我們倆，下了課，我們同去向她請教功課時，她總是笑瞇瞇地站在宿舍門口，看著我們，和別的老師說：

「看哪！安安靜靜的姑娘和活活潑潑的姑娘來了！」

儘管我的話不多，美惠還是祇管說她的。放假時她來到我家裡，我們橫躺在床上午睡，我已經很睏了，她還在開她們學校老師的玩笑。我半睜眼，半傾聽著，等到她說夠呼呼的睡去，我的睡意全打消了，瞪眼望著天花板等她醒來。

她也有時猛然停住不說話了，那是受了我的影響。她就和我靜靜地躺著，摸撫著我的頭髮，把我那時的短髮一下弄到耳前來，一下撩到耳後去。我們也彼此拉著手，交換著看指甲玩，她的圓圓齊齊的手指頭，十分有力量，她是初中排球校隊，而且是隊長。我呢，細長的手指頭，蓋著一層淡青的指甲。「貧血的姑娘」，美惠總是這麼說我。

終於，施老師把她的表弟李新介紹給美惠。

李新又帶了他的好同學俞文淵。他們在做夢，以爲我們四個人是理想的兩雙璧人……

我們開始包餃子的工作。洗菜，揉麵，拌餡，美惠都做得很地道，我們倆就在廚房裡忙。

「小魚兒，」她這時喊著我學生時代的外號，眼睛發著亮光，聲音激動地說，「我們定在下個月初結婚。」說完臉通紅地害羞了。

「恭喜你們，我知道你會得到最後的勝利。你爸爸，他怎麼又答應了？」我是由衷地爲她高興。

「據理以爭。」

「理？你爸爸對這件事並不講理呀，他完全是感情用事，你又怎能據理以爭呢？」

「那麼我就是據『不講理』以爭！」

「怎麼個不講理呢？」我對這件事倒發生了興趣。

「我對爸爸說，當年你曾爲了抗日回到祖國去，你也爲此被日本人關起來過，光復後，你一直是熱心地方公益，捐款勞軍不肯後人的，怎麼對我這件事就這麼想不開！」

「你爸爸怎麼答覆你？」

「他說：馬鹿野郎！」

美惠學他爸爸用日本話罵人的神態，我也不免大笑起來。「這是罵的誰？」我問。

「大概是罵我太講理了！」

「後來呢？」

「後來我們做了個『不講理』的解決，李新拿出六千八的聘金，我家僅用這筆錢給我買嫁妝，一個大錢也不給我添上去，以示懲罰我這不孝女。」

「要按常情呢？」

「按常情，憑我們家的環境，不但不會全部收下這筆聘金，而且還要加倍賠上去，才夠面子。」

「時間會沖淡一切，等你明年生了胖娃娃，那時你抱著外孫子往外公懷裡一送，怕老頭子不……」

「去你的！」美惠拿起擀麵杖要打我。因爲美惠曾經祕密的跟我說過，李新和她都很喜歡孩子。

「我今天找你，是有一件重要的事。」她一下子變得鄭重起來了，「我有榮幸請你做我的伴娘嗎？」她學著演話劇的口吻。

「這還不是當然的嗎？」

「你答應了？我眞高興！李新也請到他的好同學做伴郎。」

啊！原來如此！美惠說話很有技術，當然那位伴郎就是文淵，她是有意這麼安排的。自來伴娘和伴郎就是被人注目和開玩笑的對象。我本來可以不答應這樣的安排，但是我能夠嗎？我怎好給美惠失望呢！

「那麼，你這個月還要幫我許多忙了，像訂禮服，買家具什麼什麼的。」她見我沒提出反對的意見，才又這麼說。

「好的。可是我送你什麼禮物呢？」

「不要破費了，沒有比答應給我做伴娘更好的禮物了！」

「喲！還沒嫁過去呢，就跟我客氣起來啦！」

「哪裡！你不知道我的心。」

是的，她的一顆心對我有無限的憐愛，九年來表現得很多了。她自己是健康而堅強的，彷彿還有多餘的力量來保護我。我雖然從不對人吐露我的心懷，她也不問。但靈犀一點通，她就常常及時地給我幫助和安慰。

她一定也是在默想著什麼。我們倆都沒有再說話，各人兩手沾滿了麵粉。爐上的一鍋水已經滾開了。天漸漸地暗下來，我們都懶得去開燈。

我正算計著媽媽該下辦公回來了，果然，不久街門便吱啞啞的響了，接著是拉琪的迎接聲。我聽媽媽還跟人說話，不知是誰。我輕輕對美惠說：「是媽媽回來了。」

媽媽進屋來，說道：「咦？不在家。」

「是教書去了吧？」我這才聽出是敏姨的聲音。

「不能夠，沒有這樣早，大概是買什麼去了。」母親說著，走向廚房來。

我和美惠微笑地交換了下眼光，我們要捉弄一下母親，所以屏息不出聲。

媽媽和敏姨進來看見我們，嚇一跳，笑說：「兩個小鬼，怎麼一點聲音都沒有？燈也不開？」

「此時無聲勝有聲。」美惠說。

媽媽去捻開燈對敏姨笑著說：

「這兩個孩子從小就是這樣，常常在屋裡對坐一下午或一晚上，一點聲音都沒有。」

美惠笑道：「哪裡，她不說話，我一個人也說不起來。」

我說：「你不用著急，你有多少話，到了下月初怕沒處說去？你就說給他一個人聽。」

敏姨直追問：「怎麼？怎麼？這是什麼意思？」

我宣布了美惠要結婚的事。

小廚房登時被這喜氣洋洋的空氣充滿了。敏姨竟興奮得用她那強有力的兩隻手握住我的肩頭，輕吻了一下我的面頰說：

「我們的曉雲哪，你幾時結婚？」

敏姨滿嘴香菸氣味噴到我的臉上，怪難聞的。她今天穿了一件寬大的藏青呢旗袍，短直的頭髮向後攏，手上戴著男用的金殼大錶。走路、吸菸都是大動作，一點女人氣都沒有，但她卻說她的婚姻最爲美滿！

敏姨的婚姻生活是很奇特的，那眞是不同凡響。她很早以前就和第一任丈夫離婚，現在身邊有一個已經讀高中的兒子。在七年前她又和現在的丈夫馮先生結婚，但是他們卻不住在一起，他們仍各人住在各人的地方，祇是時相往來。人家以爲結婚是爲了結束單身生活，而建立起互助互愛的生活，她卻認爲日常生活的摩擦足以傷害夫婦間的情調。所以他們經濟自理，行動自由，彼此尊重，相敬如賓。她對婚姻的見解不同世俗，也難得有這樣一位馮先生同意她的作風。但是敏姨卻是一個極富人情味兒的人，媽媽常說，她的豪邁，男人也比不了。

敏姨和媽媽同事數年，她是英文專任教員，母親衹是教務處的一個小職員。但她卻極欣賞母親，當然主要是關於爸爸的遺產那回事，給了她良好的印象。她和我的那位所謂異母姊姊夏文芳是同學，但卻更接近媽媽。

當爸爸死去以後，夏文芳堅持要拿走爸爸大部分的卹金，包括辦喪事時朋友送的奠金。她說因爲媽媽的關係，使得她的父親遺棄了她的母親，而她的母親才是爸爸眞正的原配妻子。她的母親半生辛苦，難道不應當得到丈夫最後的一點錢嗎？雖然她的母親淪陷大陸，生死不明，但是她要存下這筆錢，等到反攻大陸回去交給她。這在當時是多麼難堪的一件事！也很有些人同情夏文芳的，於是母親就一聲不響的依了她。這件事有七年了，啊！爸爸死了七年了。敏姨結婚也七年了。我那時剛進入高中才十六歲，我是什麼也不懂哪！我怎懂得媽媽七年來的心情呢？

敏姨接近媽媽的時間，恐怕比接近馮先生更長久吧？敏姨樣樣都好，衹是不時的有哮喘的毛病，除了醫治以外，她曾試過許多偏方，也都沒有特效。聽吧，這時她站在我的身旁，嗓子又呼吸得像貓一樣了。

我是第一個吃飽的，看看天色，蠻黑了，時鐘已經指到六點半。我要準備去梁家教書，美惠也要和我一同出去，她要趕回學校。

敏姨和媽媽還在慢慢的邊吃邊談，我從裡屋拿了一件外套出來，敏姨問我：

「今天本是想來問問你教書的情形，吃上餃子就忘了。怎麼樣？不吃力吧？」

「還好，美惠曾經介紹我去做過小學的代用教員，總算學習過一個時期。不然，什麼也不行，眞成了『百無一用高中生』了！」

「身體既然漸漸好起來，就去學學英文打字吧，這行也可以碰巧找到不錯的工作。」敏姨這樣勸我，這也都是我心裡曾打算過的。

敏姨又轉過臉去對媽媽說：

「聽說曉雲教書這家的女主人，是個了不起能幹的女人啊！」

「這年頭兒女人能幹的也多了，像我這樣窩囊廢的倒少有了吧！」這是母親的感喟。她的確很窩囊，連那只熱餃子都不聽她的，她用銀筷子當然夾不住，一下子落到醬油碟裡，濺了她一前襟的油點。

敏姨又點著頭說：

「聽說她的能幹不止於家事這方面喲！對於她丈夫的事業，也非常有辦法會安排的。」

聽著敏姨的話，我倒想起梁太太昨天守在那裡監督兩小時我教書的情景來了，所以我不由得插嘴說：

「確是個精明女人，從行動上也看得出的。」

「有幫夫運的女人，總歸是男人的福氣。」媽媽說。

「那倒是個人的看法不同，插一足到丈夫的事業裡去，在我就覺得很討厭！」敏姨倒不以為然了。

敏姨還在和媽媽守著滿桌殘食閒談。媽媽似乎懶得立刻去收拾，她們每個人點起一支香菸來，剛才餃子的熱氣沒有了，又接續著團團菸霧，直向照著桌面的電燈升揚。我打開屋門，迎面一陣涼氣襲來，轉身關上屋門，隔著玻璃，祇見兩個女人在菸霧茫茫中，還比劃著不知說什麼。

我說今晚吃得太飽了，打算走路到梁家去，美惠就陪著我，她說送我到橋頭。

想到美惠要結婚屬於另一個人，過起家庭的生活；那麼，我和她以往那樣默默相對，心靈交流的時光，恐怕不可再得了，真教人感到寂寞啊！

因為不說話，兩人便不由得加緊了腳步，兩雙平底皮鞋的走路聲，在這清潔平整的小巷裡，竟像兩個排隊的兵士，左，右，右——左，右那樣地開步走了。

到了橋頭，美惠和我約定了下次見面的日子，便分手了。

我走上橋，看橋上兩排燈很好看，便站在橋欄邊向水中發了一會兒呆，才繼續走過橋去。

三

這是我教書一星期來第一次在白天走這條路，情調和夜晚是完全不同了。連日霪雨，黑夜經過這裡，都不由得引起我漫無邊際的遐思，正像那無垠的黑空一樣遙遠。有時我思想停住了，人也站在這裡發一會愣，靜聽水聲。我那時一定像個幽靈出現在這小溪邊吧？但是在這白天就不然了，溪邊面目全非：有小孩子在這裡嬉笑打鬧，行人不斷，路邊也堆著垃圾和車輛……我不可能再有興趣停下來。一條路有兩個面目，也像人類的雙重人格一樣嗎？

今天是星期日，我本來應當留在家裡，洗洗頭髮呀，熨熨衣服呀，給拉琪洗澡和拿跳蚤呀！雖然這些事在我是無所謂非要星期日來做，不過爲了陪伴母親，她是祇有星期日才休息。但是昨天晶晶邀我今天一同去中山堂看芭蕾舞會，其中有她同學的表演，她說她的媽媽今天要在家裡陪伴爸爸，爸爸有朋友來家晚餐。梁太太並且請我去她家午飯，飯後再和晶晶一同出去。

那麼媽媽今天要一個人吃飯了，我準知道，她一定拿開水泡了昨天的剩飯，坐在廚房的米櫃上，就著那碟紅辣椒炒豆豉隨便的吃吃，而把那塊豬肝留到晚上給我吃。唉，媽媽就是媽媽。

梁家的大門在白天看起來顏色更鮮明了，大紅的油漆，鑲著金色的橫條，好看是好看，但透著那麼——那麼俗氣！唯恐別人不知道這家裡有金條的氣勢。我為什麼對它忽然起了反感？

門是虛掩著的，一推就開了，靠街牆的庭院兩邊，闢了兩塊花池，種著雜樣的熱帶花木，一條窄洋灰道通往房門。道上正站著一個人，半側面對著花池看，他穿著那件我認識的——花條緞子晨衣。

他該是晶晶的爸爸了，也是一星期來我第一次見著的。我有些不好意思，因為我必須從他身邊走過去，但是我們並不相識，我怎樣和他打招呼呢？他也轉過頭來了，我來不及想的牽動了一下嘴唇，我不能張嘴叫他梁先生，因為我們還未經人介紹過。我想如果是我們那美惠，她一定就會跟演說家似的，大大方方地過去叫一聲梁先生，並且也許會說些什麼：「你早，我是晶晶的老師」一類的自我介紹吧。

梁先生也好像有些不自然，但他有辦法，向著屋裡喊：「晶晶，晶晶，老師來啦！」這樣，尷尬的場面就過去了，然後，他挪開身子，讓我從他的面前過去。

我沒有看清楚他，但忽然想，不要弄錯了吧，可是梁太太的弟弟嗎？為什麼看起來比梁太太年輕呢？

晶晶答應著從屋裡出來了，今天她也整齊多了，不像每天讀書讀得打了敗仗的樣子，可憐的六年級生！她的頭髮梳好，繫著粉色的緞帶，是準備和我赴會的打扮。

「這是我爸。」晶晶倒很大方，扭著身子，指著已經走進來站在我身後的梁先生。我正脫了一隻鞋，還沒走上來，又衹好轉了身子，胡亂地向他微笑點點頭。

我和晶晶照例的躲進書房裡。這間書房並不是屬於晶晶的，應該是她爸爸的。我一直到現在還不知道晶晶的爸爸做什麼事，叫什麼名字，衹是在靠壁的一隻小書櫥裡看到什麼商業概論、工商管理這類的書，猜想到他也許是在什麼公司裡做高級職員吧！因爲這些日子晶晶曾說爸爸出差到中部的話。

梁先生並沒有進來和我交談，他在外面客廳大沙發上坐著，無聊的看著報，還是晶晶在叫：

「來嘛！爸。」

梁先生被女兒一叫，似乎不好意思了，扔下報走進來，兩手從晶晶的身後捧住她的臉，低下頭笑道：「叫我做什麼？」

晶晶把爸爸的手拿下來，落在她的兩肩上，父女倆就這麼愛撫著，他們的親熱，給了我一種被融化的感覺。

晶晶說：「爸，我們要去看瑪麗跳舞。」

「我知道呀！」爸爸說，拍拍晶晶的肩頭，隨即又走出去了，仍然看他的報，彷彿對於我和晶晶不太感興趣，又彷彿是拿我和晶晶一樣地看做小孩子。

我有點失望，因此吃飯的時候就顯得不太自然。我低頭吃著飯，菜都是梁太太給我夾的，當然她更拿我當做孩子了。

我偶然抬起頭來，眼光朝他們夫婦看去，才發現在丈夫的面前比較下，梁太太確是老氣多了，因爲在我的理想中，梁先生應當是像我爸爸那類型的男人，誰知道他竟是像兄弟那樣的也被梁太太照應著。她說：

「你吃這紅糟魚片吧！」

他說：「嗯。」夾了一塊。

她說：「吃完飯你就給沈先生打電話吧！」

他說：「嗯。」

她說：「我看你換那套鐵灰色的吧！」

他說：「嗯。」

媽媽也這樣照應父親，一般人也都說，男人年紀大了常常像孩子一樣，是需要照應的，但那不是這種味兒！我端起飯碗來，從碗邊再望出去，晶晶和她父親，就像是一對兄妹般地在梁太太的庇蔭下，這情景多麼奇特！還是我太敏感了？

梁太太是難得笑逐顏開的，她笑起來也不平凡，衹是左嘴角斜上去一下，像是對什麼人交代笑容，而不是出於本心。我記得從前有個女太太到我們家來，就是這麼笑，人家都說她應酬太多，向客人假笑笑慣了的。晶晶的濃黑的毛髮卻是傾向於爸爸，梁先生的手伸出來夾菜，我才發現那手背和手腕汗毛很重。

我不由得又想著剛才按在女兒肩上的兩隻大手掌。

晶晶一心在趕舞會，唯恐失去了每一項精采節目，我們吃完飯便趕著出發了。我答應看完後送晶晶回來。

今天晶晶沒穿學校制服，又因爲興奮和打扮的緣故，所以顯得更可愛。她的個子差不多到了我的肩部，我們倆並肩走著，我就感覺到是個妹妹在我身邊。我是多麼孤寂啊！跟著外祖母的童年，失去父親的少年，現在呢，跟媽媽這樣過，在水源路下的竹房裡，什麼時候是個了呢？

然而晶晶也在想什麼嗎？她緊閉著嘴，小鼻子微翹著，眼睛注視著前方。她轉過頭來，知道我在看她，微笑了，向我說：「我們坐公共汽車嗎？」

我點點頭說：「我們坐五路車吧，我很怕坐三輪車，上橋或下橋的滋味很難受，坐在汽車裡就沒有這感覺了。」

她又跟我閒談著，說她也曾在這個跳舞班學芭蕾舞，自從讀五年級就不學了。怪不得她的體格這樣健美，兩肩寬，兩腿直，站在那裡就很像樣。

「那麼考上中學就可以繼續學了？」我問她。

「中學的功課不是很忙嗎？爸爸說將來有機會帶我到日本去學。」

「為什麼要到日本呢？」

「因為——因為爸爸曾經去過日本。」

「啊——」晶晶的父母對她無微不至，這眞是一顆掌上明珠啊！

「但是媽媽並不贊成我去日本。」晶晶這樣說。我覺得很奇怪，好像她的父母曾很鄭重的商談過晶晶的前途。也許我太少見多怪了，有些人家是可能為他們唯一的孩子而變動大人的行止的。但無論如何，看晶晶健美的體格，我也覺得放棄了學舞很可惜。

我們到中山堂剛好趕上第一個節目，觀眾差不多都是婦女並且帶了孩子來。晶晶大概學舞蹈有過不短的時間了，所以她說得出很多舞蹈的名稱來，碰到她知道的舞蹈，她就立刻告訴我。到了〈白鳥之死〉這節目時，她很興奮，我問她是否也學過，她說沒有，但是她很喜歡，因為看別人跳過。

跳〈白鳥之死〉的女孩子美極了，她的化妝也很合適，不像別的女孩子那樣塗抹了濃厚的脂粉。她比晶晶大一些，頭上繫著兩片白羽毛的裝飾，當她斜低下頭，揚起手，足尖踮起，以快速的小步前進時，我和晶晶都屏息著，爲她的舞步和所配的音樂吸住了，幻想著那被摧殘的小生命，是如何的不忍。

她跳完了，博得最熱烈的掌聲，連最難得衝動於外形的我，也大大地鼓掌了。旁邊坐的是一位老太太，她沒有鼓掌，微笑的看看我，我也向她笑笑，我說：「眞好！」

老太太笑著把頭挨近我，得意地輕聲說：「我孫女！是我孫女！」

「眞的？」我多麼替她高興。她又謙和地點著頭說：「小孩子，好玩。」

她說完用手絹擦著嘴角，我這才注意，老太太是一個人坐在這裡，她的鄰座並不是和她一道的。那麼女孩子的父母呢？在後台？

又過了一個節目，女孩子從後台卸裝到前台來了，緊挨著她的祖母坐。她的祖母撫摸著她，給她整理頭髮和衣服，小聲的問著她話，那樣的偎依，親密，並沒有再看見有別人來，那麼就祇有這祖孫倆了。晶晶也以羨慕的眼光望著她們，祖母發覺了，指著我們對女孩子說：

「她們說你跳得好呢！」女孩子害羞的笑了，她在台上表演可是一點也不害羞的，充分表現出所演的角色的情感。

眼前這對祖孫的情景，很使我想寫一篇小說。比如吧，以一個小女孩的第一人稱寫，全篇寫她在台上跳〈白鳥之死〉時，一邊跳，心裡一邊想的情景。這是她第一次正式上台表演，在初跳時她的心情很緊張，衹見台下一片烏壓壓的人頭在晃動。但是跳了一會兒以後，她的心鎮靜下來，向台下望去，看見她的祖母坐在第三排上了，祖母用手絹擦著眼角，是她哭了嗎？還是她老眼昏花看不清楚？於是她由看見祖母孤寂的影子而想起自己：如何在幼小的年齡時失去父母，祖母如何艱辛地把她帶大，她們如何相依爲命，她如何苦練舞蹈，今天如何完成夙願，終於上台表演。她還一方面警告自己，到某個艱難的舞步了，不要跳錯。謝幕時她以巧妙的舞步彎腰鞠躬時，台下掌聲熱烈，她抬眼偷偷望去，祖母並沒有鼓掌，這回可眞是哭了，帶著笑容的哭泣，最讓人不忍！她也哭了，眼淚隨著她彎下的腰，滴滴落在台口上。這便是整個故事的粗樣。

我的幻想使台上的女孩變成了我自己，而台下那哭泣的祖母竟是姥姥，面貌這樣清楚的逼近我的眼前，記憶這樣難忘的湧現。

我很想姥姥。

是的，我可以以我對姥姥的心情、生活，來描寫這篇小說。姥姥雖然死了，她老人家不是一直活在我的心頭上嗎？不然我也不會看著這對祖孫就想到擬一篇小說的底稿了。如果能夠的話，今天回家去就著筆來寫。

台上再表演了什麼節目，我眞是視若無睹，都不清楚了，一心想著祖母的故事，不，姥姥的故事。

舞蹈會已到了最後的節目，身旁的一對祖孫先退席了，還特別向我們點頭告別。我目送她們引退，修長美麗的姑娘略在前面，牽著祖母的手。祖母的個子矮一大截，人都這麼說，人類進步了，我們的個子一代比一代高。

看完舞會送晶晶回家，我的心情還一直被那白髮的祖母和姥姥的影像所纏繞，兩個老人的面孔，交替著在我的眼前出現。

回家，衹有拉琪看家，媽媽出去了，她的便鞋脫在門口，是穿了高跟鞋出去的。也許是星期天，敏姨臨時來了，約她去看電影買東西吧。

我走到書桌前去找，媽媽並沒有給我留下紙條，卻看見玻璃板底下壓著的幾張照片，我注視著我和姥姥的那一張。

這是我跟姥姥最後的一張合照。讓我看看日期，是民國三十六年的冬天，啊！我那年是十一歲。轉過了年，姥姥就死了，照片上的姥姥已經很瘦弱。爲什麼沒有媽媽？記得了，那時正是她到台灣來準備一切，姥姥答應到台灣來和爸媽同住，媽媽才回台灣的。但是沒有等到姥姥到台灣，她老人家就沉疴不起，永遠地和我們離開了。

許久許久我都有這種感覺，不認爲姥姥是死了，而是覺得我們把她一個人扔在北平，這恐怕是因爲姥姥死不久，我就隨媽媽來台灣，又換一種新生活的緣故。我第一次看見爸爸，並且開始和爸媽生活在一起，很不習慣，就使我總有把姥姥留在北平的感覺。但她的確是一個人留在那荒塚累累的陶然亭旁啊！

姥姥是夜半死去的。當她病重的時候，叫媽媽把我送到媽媽的同學家去住，因爲她不忍讓我看她死，其實倒毋寧說是她捨不得我吧！我雖在外面住了兩夜，終於哭泣著跑回來了。那天她看來彷彿精神好些，晚上吃了幾匙粥，拉著我的手，望著我，說不出話來，誰知這竟是最後的一瞥。我安心地去睡，夜半醒來，母親守在床旁跺著腳哭，姥姥眼睛已經闔上了，還有微細的呼吸，嘴裡喃喃的。眞奇怪，在黯黃的燈下，我看著姥姥即將離去，爲什麼倒沒有眼淚了呢？生和死有什麼分別？姥姥睡得那麼安詳！

姥姥究竟是有福還是無福？她的親人都在她的面前了，但多麼孤單！衹有一個女兒，和一個女兒的女兒！

姥姥很美，並不是指她的面孔。略嫌細小的眼睛，寬大的頭額，她的外形並不算美，但她是一個愛美的女人。她要享受一些情感的生活，她沉緬於文學與戲劇的情感中。她欣賞她的丈夫，因爲她認爲他們是最完美的一對，衹可惜外祖父早年故去，讓這美有了缺陷。但那個青年時代便離開這塵世與愛妻的外祖父，卻給姥姥留下了最美麗的記憶。憑著她這點愛美的心情和記憶，恐怕就是她不滿意爸爸的原因。

媽媽和爸爸的結合，是使姥姥最痛心的一件事。爸比媽大了二十歲，姥姥要打破這場不正常的結合，她反對四十歲的已婚男人愛上了二十歲的媽媽，但媽媽的肚子裡已經孕育了我！

記得有一次我問姥姥那位可愛的外祖父幾歲時，她說：「死時才二十五歲啊！」

「那我爸爸怎麼四十多歲了呢？」我這樣說，因爲我是在對數目字和年齡還弄不清的六七歲的時期。

我記得當時姥姥的神情是多麼不屑，她輕撇了一下嘴，冷笑回答我說：

「就是嘛，比你外公還大了一半呢！」

姥姥的風采，不斷地在我記憶中湧出，我把這張照片壓回玻璃板下，又去書架上拿一本照片簿，我要從照片中，找一些幼年生活的回憶。

照片簿已經落上了許多塵土，這本小冊子，是屬於我個人的，十歲的生日姥姥買給我的，如今又十二年過去了。

我吹去塵埃，掀開第一頁。

第一頁並不是我初生的嬰兒相，而是十歲生日拍的。我的兩條辮子垂在前胸，十足的小姑娘味兒。多少年來，給我梳辮子一直是姥姥早晨的工作。她晨起總要咳嗽一陣子，跟著是沏一壺釅茶，一邊喝茶吸紙菸，一邊給我梳辮子。我喜歡站在大穿衣鏡前，看姥姥的紙菸斜叼在她的嘴角上，她一定要瞇起一隻眼睛，才不至於被升揚的菸霧燻到，那樣子並不好看，但很可愛。一大截菸灰竟能連在菸卷上不會掉下來，也眞是奇蹟，這當然是吸菸人的本事。

她打發我上學，每天都忘不了對我說這些話：「下了課就回來，過馬路小心喲，中午我煮排骨粉條給你吃。明天禮拜，今天晚上看大戲去！」

然後她站在廊下看我背著書包，甩著兩條辮子上學去。她看著我的背影，應該有很多感觸吧？因爲媽媽和爸爸在抗戰的大後方，一點消息都沒有，祖孫相依爲命的生活總是淒涼的。

的確是，秋深的時節，院裡那棵楡樹葉子都乾透了，片片落到磚地上。冷風一吹，它們在地上滑跑，發出沙沙的聲音。我回頭看姥姥，她晨起還沒有梳頭，花白的頭髮，是靠頭油或刨花來支持的，現在零散地貼在額頭、耳邊，正像那被吹到牆角的枯葉。

看，這一張可是我出生來的第一張照片了。祇有二十歲的年輕的媽媽抱著我，我們倆的臉都向著前面，我那時大概是五、六個月，頭上戴著遮耳的絨帽，兩條帶子繫在頸間的那種，小拳頭緊緊的攥著一個小搖鈴。

據說這是我和母親的一張臨別照，啊！在同生照相館，記起那個地方來了，因爲十年後媽媽回來，我們又在同生照了一張，這回加入了姥姥，它貼在這本照相簿的最後面。

從來沒有人把媽媽和爸爸結合的整個經過告訴我，我是零零碎碎把它們拼湊起來的，這裡面有姥姥的痛心、媽媽的辛酸、爸爸的不幸……還有我的——憂悶、自卑和憤恨。

在姥姥翼下長大的媽媽，好像很少機會接觸到男人，於是她竟一心一意地愛上了她的老師——我的爸爸。什麼人曾告訴過我，是媽媽先給爸爸寫信的。如果是眞的，我相信媽媽最初的信一定是學業的研討，對於師長的崇拜，最後終於陷入愛渦。一個已經有了妻室和兒女的男人，是否禁不住那青春如花的女弟子的吸引呢？那戀情一定是狂熱的。而我，可算得是爸媽眞正的「愛情的結晶」了！

那時期聽說曾掀起一次不小的浪潮，好像報紙上也有過登載，是引起家庭的糾紛來了吧？師生戀愛當然不是人人贊成的事，一定會被人唾罵，會被人不滿，或許爸爸因此失去了他清高的教育職業的尊嚴也說不定。是七七事變解救了爸媽，爸遠走入川，媽媽生下了我也跟了去。爸媽的事就在那戰爭的序幕中被沖淡了。誰還有心注意這人間小事呢！

這些是聽誰說的？好像並沒有人仔細告訴過我，我可是一段段地給串起來了。是一點事實加上我的想像嗎？

再翻過來看，啊！小花貓！姥姥坐在藤椅上，我蹲在地上拉著小花貓的尾巴。這張照片拍得很自然，一定是某個夏天的下午，偶然來了一個攜帶照相機的朋友，看我們在院子裡，就隨便照下來了。他的技術並不好，姥姥的臉是黑的，我穿著坎肩兒和短褲，手拉貓有一點晃動。我祇有三歲的樣子。三歲的事情我是無法記憶了，但是要講我幼年時候的事情，也祇有姥姥一個人講得出，那一段日子，我在媽媽的記憶中是空白的。

我是吃羊奶長大的，姥姥常說我一身膻氣的笑話我倒還記得。難爲姥姥，帶一個沒有母親，沒有奶吃的嬰兒，還要忍受女兒不明不白的婚姻的尷尬，在那個時代、那種環境、那樣身分的人家，是難堪的。

但還有比我入學後的那次事情更難堪的嗎？那時是勝利後，母親已經回來了，我現在想想，如果母親不出現，或許還產生不了這種事情吧！那天中午，我正和兩個同學走出校門，忽然，身後擠過一群比我高兩三級的同學，其中一個高個女同學，回過頭來狠狠地向我瞪了一眼，然後仰起頭來「呸」的一聲重重的向地下唾一口，當然，那等於是唾在我臉上。

我的臉立刻燒起來了，對於高班的同學，在小學生自來就有一種敬畏的心理，我想不出我做錯了什麼事情，我身旁的兩個同學也納悶的問我：「神經病，這是怎麼回事？」

「誰知道！」我羞恥的回答，心中不住的探索，究竟我做錯了什麼事？那個高個女生早已跑到前面，和她的同伴數說什麼去了。

那種敏感眞是奇怪，還沒走到家，我已經料想到那是什麼人了——她也是爸爸的女兒之一！當我這樣想到，跟著我的心情就不安到極點，我羞愧、自卑、氣憤、憂愁。回到家裡我不講話，不吃飯，不上學了。

姥姥慌張得很，她衹當我是病了，摸我頭，摸我手，都被我推開。她要爲我請醫生，我這才急了，喊了一聲：「我沒病！」

母親還老大不高興呢，她向姥姥說：「這都是您給慣的，不能這麼矯情呀！曉雲！」

我矯情嗎？媽媽理解我太少太少了。姥姥聽了媽的話，我知道，她也不高興了，一聲沒言語走到外屋去吃飯，媽媽隨後也跟了出去，她以爲小孩子鬧脾氣祇有「不理她」就好了，這也確實是兒童教育書上寫明的呀！

她們娘兒倆一定也對著生氣，默默的吃飯，祇聽見匙碰碗，碗碰筷的磁器銀器聲。而我坐在桌邊胡亂地拿出功課來，心中卻不住的想：一定是她，一定就是爸爸他們家的人。在媽媽和姥姥的談話中，我早已隱約的聽出一些頭緒來。——說是：

雖然勝利了，人人都復員還鄉，爸爸卻不能回來，因爲他的家人不會輕易地饒恕他，他的兒女們都調皮搗蛋得很。爸爸怕媽媽難堪，也怕妨礙了事業的前途，祇有遠遠的躲開，到陌生地方去創天地。他們原來可以留在西南的，但是幾年來發現爸爸的身體不適於那裡的水土，醫生說，海島氣候也許不錯，所以他們就直接到台灣去了。爲了媽媽這樣一個女人，爸爸沒有回他的故鄉，不願見他的家人，放棄了他在北方的事業的根基。

想想看，爸爸的家人會怎樣的恨他呢？於是那股恨氣就化成一口唾液，重重地發洩到我身上來了。我不知道我是什麼時候被爸的家人認出的，她們早已像鷹一樣地對準我了！

那些事情不要再想了吧，想起來總是不愉快的。不如想想照片上的小花貓，她曾給了我多少童年的記憶啊！

小花貓到我有記憶的年代還在我的身旁呢！後來牠長得好肥大了，冬天的晚上，總是蹲在火爐旁邊，我們也在火爐邊取暖。姥姥那隻老藤椅坐了不少年，已經成了油紅的顏色了。夏天它被放在屋外廊簷下，冬天就在火爐邊，多鋪上一條毯子。當姥姥不在面前的時候，我就把蜷臥在那毯子裡的花貓趕開，但等姥姥做完零星的事，就要來把我趕走，她說：「小人兒也要舒服，去拿小凳子去！」我很捨不得地離開那藤椅，去搬了小板凳來，就在姥姥的腳下坐著，把手靠在她的膝蓋上，仰起頭靜聽她給前院的兩姊妹講故事，並且把花貓摟在我的懷裡。

常常是這樣，不知道是什麼時候，我在姥姥講不完的故事中睡倒在她的膝上，給我怎樣的脫衣鞋，搬上床去，都不知道了。

小小的四合院，原是姥姥唯一的產業，講究的人家都不會把它分租給人的。但是到抗戰的末期，生活實在難以維持了，先把外院的南房租出去，後來又把裡院的廂房也租出去，都是爲了維持我們祖孫倆的生活。

外院的人家，有兩個讀中學的姊姊，就迷上了姥姥的故事，我想，她們住了三年，應該聽了不少故事吧！

姥姥講故事的本事很高，她當時所講的故事，並不是那時女學生所看的流行的小說，而是她年輕時代所看的書籍。我以爲古老的愛情故事更動人些，因爲那年代的婚姻和戀愛有許多阻礙，有了阻礙，所以才產生許多可歌可泣，悲歡離合的曲折故事。

我還能記得她講《玉梨魂》的故事，當時原也不怎麼聽得懂，直到前幾年在衡陽街的書店裡偶然看到這書名，祇覺得很熟悉，忘記曾是姥姥所欣賞的小說，便隨便買了一本看，看到梨娘和夢霞的苦戀之情，才忽然憶起它原是姥姥講給前院姊姊聽的。我不由得把這四十年前流行的小說看下去，看到夢霞「近日既中酒病，更為詩苦」，看到梨娘也病得「愁帳一幕，被冷半床」，我想起姥姥講故事的神氣來了，她搖著頭把夢霞和梨娘的情詩背誦得有聲有調，而前院的姊姊也聽得嘖嘖地歎氣。

我還記得她講一個旗人的故事，那個女主角叫春阿氏，她說著書人寫道，要把春阿氏的故事盡量地講給人聽，那麼死去的春阿氏的靈魂，冥冥之中會在窗外感激你的。所以每次講這個故事時，我都不由得要回頭看看黑暗的窗外，彷彿那裡站著一個梳著兩把頭的女人，就像四郎探母裡頭鐵鏡公主的打扮。

聽大戲，也是姥姥的生活享受之一。我從幼小的年齡就跟姥姥出入在烏煙瘴氣的戲園子裡了。她最愛聽一個叫李桂雲的唱的戲，我祇記得台上那圓圓甜甜的面孔和略胖的身材，她不一定穿古裝，有時也穿時裝，那種忽然梆子腔，忽然西皮二簧，究竟是叫做什麼戲，我也不清楚。她的流行戲〈二孤女〉、〈桃花泣血記〉大概是由電影改編的，我跟姥姥不知聽了多少次，眞是百聽不厭。

從戲園子出來，一定要順腳到東鴻記買茶葉，到聚順和買糖炒栗子回來。燈光底下，閃著姥姥油亮的鼻子，她在沏茶，並且數說著劇情，我在桌邊等著解開那包熱栗子。

偎倚在姥姥的身邊，是安全而溫暖的，拿什麼來形容最好？就好像在英國的曼殊斐爾吧，十八歲逃離家庭以後的曼殊斐爾，病倒在陌生人群中了，她在日記上寫著：

> 想像中所唯一值得熱烈景慕的事，是我的祖母把我安放在床上，端給我一大杯熱牛奶和一塊麵包，兩手交叉著，站在那裡用她仁慈曼妙的聲音和我說：「啊，親愛的……這難道不愉快嗎？」啊！是何等的幸福呀！

啊！是何等的幸福呀！家庭生活是可愛的，但那內在的煩惱也是錯綜複雜的，需要用理智去鬥爭，但爲了處理家庭的煩惱，誰的理智又鬥得過情感呢？

即使是在十幾年後的現在，我也彷彿清晰地聽見夏夜中芭蕉扇撲呼、撲呼的聲音，姥姥爲我驅蚊子、唱小曲，輕輕地搧打在我的身上，送我入夢。那把芭蕉扇縫著藍布邊，在我身上拍打了好多年也不壞。

這張是媽媽，顏色都要變黃了，是她到重慶後寄來唯一的一張照片，照片下半截的腳部被剪去了，她後來說因爲是光腳照的，所以剪了去。抗戰的後方是艱苦的，她給姥姥來信說，屋裡沒有家具，就拿四隻油桶做凳子。收到這封信和這張照片以後，就再沒有信息了，直等到勝利後，我們才無意中在收音機裡聽到播音通信。

那時剛勝利，復員還鄉還沒開始，收音機中卻天天有個特定時間，播送後方的人向淪陷區的家鄉叫人，是由播音小姐代播的。我們原沒想到媽媽也會向我們通信播音，那天，播音小姐順序播出時，忽然說道：「現在請北平豐盛胡同的孫老太太和她的外孫女夏曉雲注意收聽！」我不相信我的耳朵，但姥姥也聽見了，她說：「聽著！聽著！」瞪大了眼睛聽著，果然是媽媽給我們通的信息，像我一樣從沒有眼淚的姥姥，竟也熱淚盈眶了。反而是我，無動於衷，雖然我也很高興有了母親的蹤跡。

我還記得那天播音小姐大概是重感冒了，她一邊說話，一邊嗆得咳嗽，就彷彿她是被關在一間濃煙的屋子裡。她播完了別人的通信，又替自己播了一個給她的朋友，她說：「××，××，還聽得出我的聲音嗎？」跟著她就哭泣了。

唉！我不要回想得這麼多了，回憶過去，也有辛酸，也有快樂，情感這樣起伏，我眞感覺疲乏了。

我把照相簿收起，再去洗洗手，我要躺到床上瞇一會兒。

是什麼時候了？我從迷亂的夢中驚醒來。記得是挽著晶晶的手，失足掉入路邊的小溪中。溪水寒冷極了，我喊也喊不出，幸虧晶晶的爸爸來了，我向他張手，他拉著我，那麼困難，又扶著我的頭，那帶著濃重汗毛的手掌……我呼吸困難的睁開眼，是媽媽站在我的床邊！她給我蓋上毯子摸我的頭，我的手壓住了胸部，所以夢裡也難過。

屋裡燈亮了，我知道剛才是從夢境中醒來，但乍一見晃眼的燈光，使我分不清時間，我問媽：

「幾點了？」

「不舒服了嗎？直哼哼的。」媽不答覆，反問我。

「大概是睡冷了，夢見掉在水裡。」我笑笑把毯子裹上肩頭，一下子又想起老年頭兒那張鋪了毯子的藤椅來。

母親這才安心地展開笑容。她今天很美，是因爲在燈下的緣故嗎？不，她確實是著意的打扮過，兩頰搽了些胭脂，還難得的戴上一副一粒珠的耳環，立刻把她變得——艷麗了。她原應該打扮的，她用不著守著古老的規矩，丈夫死了，自己也死了一半，打扮並不等於愧對死去的爸爸，那種思想應當改變。或許媽媽認爲「女爲悅己者容」，所以……那麼她今天怎麼興致這麼高呢？

我看媽媽轉身去換衣服，摘下耳環，卻站在鏡前停止動作地呆著，我不由得問：

「我猜媽是和敏姨出去了吧？」

「嗯？」她心不在焉地轉身來，彷彿沒有聽清楚我說什麼，又說，「噢，是跟敏姨看了場電影。」

「什麼片子？」

「什麼片子呀！那什麼——我糊塗死了，很有名的……」

媽的確很糊塗，尤其是對於娛樂方面。

「《葡萄成熟時》？」我問。

「對啦對啦，《葡萄成熟時》。」

「値得一看再看的好片子。」

「每個角色都演得好，即使那要喝酒的老頭子，那群從西班牙來的工人們。」

「您說那個弟弟怎會愛上了一個比他大的女人，而且她並沒有什麼好看。他豈不應當追求那妹妹更合適些嗎？」

「弟弟自幼失去家庭的溫暖，所以遇到一個關切他的女人，就有一種倚賴的愛產生了。」

媽媽眞有她的一份見地呢！倚賴的愛？我翻身仰面躺著，把兩手墊在後頸下，對著天花板。希望從那上面找出一些答案來，但我竟茫茫然的。

「豬肝是要川湯還是炒？」媽媽問我，「要不然給你下在麵條裡好不好？」

「那您呢？吃什麼？」

「我不餓了，看完電影遇見林教授，他請我們吃了點心。」

她說著向廚房走去，看她穿著那件三、四年前做的薄呢旗袍，我不禁又問：

「美惠結婚您穿什麼？」

「我還不好辦！」她無所謂地回答。

除了滿心關切我以外，媽媽對任何事似乎都沒有什麼興趣，近年來她更有一種要對我有什麼補償的樣子，補償她曾經那麼多年來沒有照顧我吧？那麼我也就理所當然地承受這份倚賴的愛嘍！

「倚賴」這兩個字，媽媽用得好，我很喜歡。人與人間的感情，恐怕都是有倚賴的成分吧？不光是指男女間的愛情。

倚賴，是心情的倚賴，不是物質的倚賴。

這使我記起一件好多年前的事。姥姥的一位朋友，我叫她張老姑的，是一個孤女，寄養在她的表上又表的表舅媽家，備受虐待，最後終於逃離這家。許多別的親族願意收留她，她也確實轉了幾家親戚，最後嫁了人。但是她後來仍然和表舅媽往來得比其他的親戚更密切，親友們氣得罵她「賤骨頭」。她和姥姥談起來，也解釋不出自己的心情：爲何她竟像一片鐵，總是傾向於吸鐵石——她比喻她的表舅母。

記得姥姥曾對她這麼說：「好壞事總怕個『慣』字，你雖然反抗她的虐待，但是你在她家其餘的事都習慣了，到別處去對人對事樣樣都得打頭兒來，就不慣了。」

這就是說，在無形中張老姑對於表舅母，已經有了濃重的倚賴的情感吧？這使我覺得人總是惰性的動物，懶洋洋的時候最舒服。在學校時，老師講牛頓的慣性定律說：「乘車時，車開動了，你的身子往後倒；車停了，你的身子往前衝，全是一股懶勁兒在作崇呀！」

如果以這種邏輯來解釋婚姻，可以說許多不愉快的婚姻所以還在那兒勉強地拖延著，總還是雙方有些地方在彼此倚賴著，懶得分開吧！人類原來是一個懶惰的大結合呀！

四

今天爲了要歡送文淵出國和順便請美惠和李新一對新夫婦，我不得不臨時向梁家請一次假。本來晶晶的功課日漸緊張，我不應當脫班的。原打算吃過晚飯把客人扔在家裡，我去梁家，但是媽媽和美惠都要我請一天假，說等到星期天再替晶晶補一次好了。我在公共電話亭打電話，撥過去，是個男人接的，我結結巴巴地問：「你你你是哪一位？」

「我梁思敬，你哪一位？夏小姐吧？」是晶晶的爸爸，聲音是低沉的，我覺得不安了，因爲我們很少說話。

我告訴他請一次假的事，他毫不考慮而簡單地說：「好好好。」

但在我無話可說剛要掛斷的時候，是梁太太又接過來了，我照樣地告訴她一遍，她的話就多些，她說：「沒得關係，你儘管和媽媽陪客人吧！明朝會。」

我掛上電話，心裡很不舒服。靠在電話亭裡想：梁太太對我的態度，使我有一種被賞賜的感覺，施給我一次恩惠似的！也許是我太敏感了，如果她也和梁先生那樣單調的答應一個「好」，我豈不又以爲她生氣了？

其實她對於她的丈夫還不是一樣？想起來也怪可笑的，每逢她對梁先生下一道命令的時候，梁先生總是「嗯——」一聲，然後才點頭說：「好吧！」我想他「嗯」的時候，一定是在考慮要不要反對，但是某一種意念又壓倒他前一個反抗的企圖，於是他終於還是「好吧！」這一定也就是母親那天所說的「倚賴」——被我解釋的所謂「惰性」吧！

晶晶的爸爸看來的確是有股懶勁兒，起碼對於家庭是如此的，我猜想……

「還打不打電話啦？」

有人隔著玻璃在催我了，眞糊塗，我想什麼呢？爲什麼把自己停在電話間裡發呆！

我猜想梁先生對於家庭是沒有主權的，他樂得閒在一旁看書報。那姿勢很有趣，他的頭髮有些天然鬈曲，不宜於梳刷得油亮，他就隨它們蓬鬆著，所以才看來更年輕吧？而梁太太的頭髮就是從來一絲不苟，彷彿連她那很有主張的個性都表現出來了。

他坐在那大紅色的玻璃布面的沙發上，身子總是向前傾著，兩腕壓在兩膝蓋上，在沙發前的小桌上翻動這報那報的。他一定常常在想什麼，因爲報紙有時並不被翻面，我不信他看得那麼仔細，難道連廣告都逐字細讀嗎？

應當有個年輕淘氣的太太，倚在他的身旁逗他。如果那年輕太太過去把他的報紙一掀，說：「別悶在屋子裡了，我們到橋上散散步去！」他一定會摟著年輕太太的腰，漫步於燈與水照映的橋上，哪怕不說一句話，也是享受。這種情調也許還適於晶晶的爸爸，但對於梁太太，就彎不是那麼回事兒了。

我很愁悶，也許天氣的關係。這時天又陰了，氣壓低沉，使我的心情有一種在莫名掙扎的感覺。我不太喜歡教晶晶的這份工作，但是我非常喜歡晶晶這孩子。在她那家裡，有一些氣氛使我不愉快。但好在這不是長久的，我又憑什麼要人家的氣氛來迎合我的心情呢！

別忘了，媽媽讓我順便帶些水果回去。木瓜已經陳列在水果攤上了，文淵最喜歡吃的，但是我如果光買了木瓜回去，大家還眞以爲我爲他買的呢！他一定也美得要死，我才不幹！然而，也沒有什麼果子了，除非買個大西瓜回去，太大了，怎麼吃得下？管它呢！買回去再說。

我提了二十斤一個的大西瓜，再加上兩個木瓜，眞夠吃力的。

回到了家門口，把水果籃放在地上，手都顫抖了，是提得太重，走得太多的緣故。

按鈴後來開門的是文淵，他一看見我，立刻以那種脈脈含情的樣子看著我，我很煩，簡直是假微笑地點下頭，趕緊轉過臉去裝沒看見，問道：「美惠他們來了嗎？」

其實我已經看見美惠站在房門口了。

美惠才結婚三天，但她已經不是三天前的美惠了；她穿著繡花緞旗袍，戴了些首飾，珠光寶氣，光艷照人。

文淵提了水果籃，我在他前面向屋中走去。進了屋子，我故意擠起一隻眼睛看美惠，淘氣的笑了，她紅了臉，不好意思地輕輕打了我一下，完全是新娘子味兒！

李新也是一身新西裝，不像平常那種不修邊幅的樣子，這一對夫婦結了婚全變了樣兒了。但他們這樣兒能維持多久？美惠一定很快就會生小孩的，他們計劃要一口氣生三個呢！

文淵大概三天前做伴郎的那股熱情勁兒還沒消散，又加上他明天就要離國遠行，所以時時做出依依不捨的意思來。我到廚房，我給客人送茶端水，都有他一份，彷彿他也是這家的半個主人，他好像完全忘記他也是客人之一了。

今天敏姨才是以客人的身分變成主人，因爲她要幫媽媽燒菜，而且林教授也是敏姨邀請來的。李新和文淵都是林教授的學生，一個出國，一個新婚，他來湊這份熱鬧是應該的。

林教授是第一次來我們家，雖然我偶然聽敏姨和媽媽提起過，而且很敬佩他的為人，但是從來沒見過他本人。他比我想像中更年輕些，談吐間就可以聽出他為人的豁達。他正以前輩留學生的資格在向文淵談著，別人也聽得有味。

敏姨看見林教授來了，她也由廚房出來陪坐著談話，祇有媽媽一個人在廚房裡，但也不時跑出來湊兩句熱鬧。

屋中這時的空氣很融洽，但是這種情景明日就不可復得了，因為明天文淵出國，兩年後才回來，李新和美惠也將調到新竹去工作，而且他們成立了家庭，將來有了孩子，像以前那樣隨時來往，也不是太容易的事了。這水源路下的小屋，雖然僅是我們母女寂寞的居住著，但是友誼的溫暖，給這小屋增加了許多難忘的愉快。即使是文淵，如果他對我不以想達到婚姻為目的的話，也不失其純潔可愛；他說著憤世嫉俗的話，有著不可想像的理想和抱負，連李新都說他：「天真，完全天真的想法。」

話題轉到電影上去了，林教授去年還出了趟國，他把二十年前和去年的美國比較，使他感慨美國文明的進步，電影和電視當然不免談到。

說到電影，我忽然想起來了，便問坐在身旁的敏姨：

「您覺得《葡萄成熟時》這部片子怎麼樣？」

「聽說很好，我沒有看。」她回答。

「沒看？」我驚奇地大聲問。

「那兩天簡直沒工夫。」她兩肩一聳，兩手一伸，無可奈何的樣子。

我突然覺得渾身發涼，腦子有些不清楚，不由得看了林教授一眼，他正談得高興，沒聽見我們說話。那天如果不是敏姨和媽媽去看的電影，又是誰呢？但是我警告自己不要胡猜疑，也許我自己沒聽清楚媽的話。那是不可能的，對於媽是不可能的！

我發現母親又由廚房出來了，便趕快站起身離開敏姨，我是怕媽媽過來，我們談話如果無形中對證起這件事，對於媽豈不是太難爲情了？

我假裝到臥室去拿什麼，但是沒有捻開燈。因爲陰天，夜晚來得更早些，窗外一片漆黑，已經什麼也看不見了，我拉上窗簾，就坐在床上靠著床欄，從這屋裡看到外屋，清清楚楚，但是不曾被人發現我。

外屋在擺桌了，大家七手八腳地都站起來幫忙。

媽媽先拿了一疊濕毛巾請大家擦手，拿給林教授的時候，他非常客氣，謙恭而有禮，他們應當是很——很有距離的，我不要猜疑得太多。

但即使媽媽眞有一個伴侶，難道不應該嗎？父親死的時候，她才不過三十幾歲，再加上爸爸病了兩、三年，她的幸福的夫婦生活，才有多久呢？媽媽不能跟姥姥比，姥姥靠甜蜜的回憶和對外孫女的希望而生活，自有她的樂趣，媽媽和我是生存在這最現實的時代啊！

再說，缺乏了男性的家庭，許多事情都是無依無靠的，家中每逢有什麼要商量的事，媽媽總是去找敏姨，敏姨遇事有男人般的魄力，在女人群中是少有的。一般女性都是不能解決太大的事。媽媽希望我能和文淵結合，恐怕也是基於這種心情吧！

「曉雲！曉雲！」

媽媽不知叫了我多久，我才聽見，還是拉琪跑進來咬我的裙角，我才驚醒的。我趕快跑出去，一面用手絹把我的蓬鬆的長髮繫起來，表示我到臥室去，是整理一些私事。吃飯的時候，大家舉杯祝文淵順風，林教授說：

「不要像一些留學生，一出去就不想回來！」

「老師，我是根本不想出去的！」文淵說的時候，很快的瞥了我一眼。我趕緊把眼光避開，轉身回頭去拿小毛巾，表示我沒注意這句話的意義。

說實在的，我很辜負文淵對我的一番好意，但愛情能勉強嗎？我何嘗不想試著想念他的許多好處，但是沒有用，無論如何，他在我心目中是個哥哥，但願我們兄妹般的友誼永遠存在，在美國，我已經把幾個女同學的地址介紹給他了。

在他留學的這兩年裡，人事不知會怎樣地變化。就是在兩個月前，怎又預料有今天的場面——文淵出國了，美惠結婚要到另一個城市去生活，以及——媽媽不知到底和哪一個去看的《葡萄成熟時》？

在友誼的情分上，我也確實不應當對文淵太拒於千里之外，他在台灣沒有家，出外所懷念的還不是我們這一屋子人！我想到這兒，不免舉起杯子來說：

「文淵，我敬你一杯，可是我不能喝酒，意思意思。」

文淵慌得什麼似的，受寵若驚的舉起杯子，一飲而盡。我知道大家會怎麼想——對於我這麼做，一定心中都表示滿意。但是我接著又照樣敬了美惠和李新，敬了林教授、敏姨和媽媽，彷彿不專是爲他敬酒了。

談不完的話，吃完飯還在繼續著。

牆邊三角架上最高一層，擺著爸生前和媽的合照，爸虎視眈眈地望著這一屋子客人！他一個也不認識。這張合照是遠在我還沒來台灣以前拍的，總在十二年前了。媽媽的風韻不錯，斜著頭靠在爸爸的胸前。魁偉的爸爸，使我看不出媽媽當年迷戀他的原因，起碼在我看到爸媽時，他們祇是一對普通的夫妻，一點兒情趣都沒有，還不如我和姥姥，或者我和媽媽過得有味兒呢！

記得我和媽媽乘美信輪到基隆時，爸爸來接我們，我和媽都在臂間纏著一塊黑紗給姥姥穿孝，媽媽一看見爸爸就哭了，當然，她懷念她的母親，又高興終於帶了女兒來團聚，正是悲喜交集。

媽說：「曉雲，叫爸爸呀！」說完她就轉過身蒙著臉哭了。

爸爸拉著我的手說：「曉雲，你來了，好，好。」

我鞠了一個躬，嘴裡喃喃地叫「爸爸」，不像女兒見父親，倒像小學生見校長。

——這是爸爸，使我們的家庭生活多年陷於空落；使我在那注重身世的北方城市中成爲一個身分不明的女孩子；使我在公開的場合被不明不白地唾一口。許多積累的觀念使得我見了爸爸很少說話，更不要說表示親情。至今我還覺得我們離得這麼遠，如果爸爸多活些年，也許我們父女的情感會漸漸建立起來，會互相「倚賴」下去，因爲爸有許多受教多年的學生，都非常敬佩他的爲人和學問。但是他那麼早就死去了，我雖然是十六歲才失去父親，但陌生的程度和四歲失父差不多，我們相處祇有四年，他倒病了兩年。

爸爸病弱的時候，他的大女兒夏文芳常來，她比媽媽小四歲，總是一臉的官司，來了要媽請這醫生，請那醫生，爸爸也很膩煩她。她之出現，就是一種提醒爸爸不要忘記海那邊還有一大家子眞正是爸的親人的意思。到底是她破壞了我們這三人小組的家庭生活，還是媽破壞了他們的古老的大家庭呢？

我的倔強也夠瞧的，從不肯從我嘴裡叫她一聲「姊姊」，我對她陌生得在路上遇見都不打招呼，除非是有媽媽在一起，我才不得已的微點下頭。她的丈夫沈克康是一家大紡織公司的經理，生活得夠好，爸的喪事，倒成了他們表現社會地位的一次熱鬧了。

敏姨和夏文芳是同學，她來弔祭爸爸的喪，才發現媽媽是學校校務處的一位同事。

爸爸死了，薄少的遺產也被夏文芳拿去了，我們之間還有什麼糾葛呢，所以以後很少來往，祇有祭日碰碰頭，這樣倒落得簡單明瞭了。

爸不要再瞪視我們了！我把小茶几上的一小瓶花送上了三角架，遮住爸爸的臉。小茶几要騰出地盤來放西瓜，給大家吃。

當客人們起身告辭的時候，夜已經深了，如果不是敏姨的催促，文淵還不願提走的話呢，他明天一早就要到基隆上船，我說太早了不能去送行，今晚送他到公車站吧！

我披上一件毛衣隨著客人們出來，林教授和敏姨出了巷口就雇上三輪車同道走了，祇剩下我們四個人漫步著。

李新和美惠故意走在前面，留下我和文淵落在後面。

眞奇怪，祇要我倆單獨在一起，就沒有什麼可說的了，我找了一句話：

「到了美國就可以跟你舅舅見面了，比在無親無故的台灣還強呢！高興吧？」

他是多虧了他舅舅兩千四美金的存款才出得了國。

「不見得，我的心仍在台灣。」

我一時沒再說什麼，因爲這句話怪難接碴兒。停一下，他小聲而又激動地叫我：「曉雲！」

「嗯？」

「答應跟我通信，可以吧？」

我沒答話。

我怎麼答覆他呢？他所謂的通信，不是指普通的信。他見我不答應，又輕輕說：「不願意嗎？」

「沒有呀！你當然要把新大陸的風光告訴我們這些土豹子。我們也會不時把這裡情形告訴你。」

這個答覆，太不夠羅曼蒂克了，他當然不會滿意。那又有什麼法子？文淵曾對美惠說，他對於等待我有一種時間的耐性，但當我們的空間拉長了，這耐性能沒有變動嗎？

到了公車站，我們四個人又站在一起了，我和美惠、李新談他們到新竹工作的事情，文淵竟難得的在一旁沉默著。

李新工作的廠子是在新竹的郊外，因此美惠也就請求調到那附近的一所國民學校教書。祇要離開台北這樣的都市，房子就好辦，據說他們住處的環境很不錯。美惠邀我和媽媽幾時到那裡去住幾天。

「可惜沒有機會請你去玩，祇好等你回來了。」美惠回過頭去對文淵說。

這時車子來了，美惠和李新催著文淵上車，他等到所有乘客都上了車，才最後一個上去，頭還探出窗口來和我們招呼。車開動了，他不放鬆地注視著我，我知道我太狠心了，我祇搖擺著手說：「再見！一路平安！」連「到那兒多多來信」這麼一句話都吝嗇得不肯說。

當車遠去，我再回頭來看美惠時，她竟滿眶眼淚，誰知道她哭的是什麼！是捨不得好友遠行，還是爲我們無法捏合的愛情而悲哀？

五

來了一陣日光下的暴雨，雨是斜的，夾著風，在太陽底下閃著金光。望望天，美麗極了，黃昏的殘霞是深玫瑰色，祇有舞台上女人的化妝才肯搽得那麼濃的紅胭脂。

洗衣服的台灣老阿婆，來取殘食餵豬，被阻在家裡了，她倚著門柱說：

「今晚怕有風颱。」

「怎麼見得呢？因爲有太陽而下雨？」我問。

「風颱前的景象是最美的。」她望著天色和雨絲說。

啊！老阿婆的話是多麼的富有詩意和哲理！

暴風雨前的景象是最美的！

這時金色的雨已經停了，但是空氣不知受了什麼自然現象的變化，空中還散著霧般的濕氣。我的手掌向空中張開接受濕霧，看著老阿婆多皺的臉說：

「現在不是颱風季節呀！阿婆。」

「有時候它也會輕輕的來一下子。」

我是在想晚上到晶晶家教書，要怎麼準備，要不要多帶件衣服或雨衣什麼的？但是這時風也停了，並沒有一點兒狂風暴雨來臨的現象。老阿婆的話也不一定靠得住，我放心的進屋祇拿了一件薄毛衣出來。

母親追出來：「帶長的厚的去，要不然再穿上件背心。」

「您倒忘不了我穿背心的老毛病！」我噘起嘴說。

母親噗嗤笑了。原來這又是姥姥對我無微不至的地方，我小時每逢冬季就咳嗽，姥姥曾經給我做了這樣一件背心：用許多老薑榨出汁來，把棉花浸在薑汁裡，等晾乾後用它鋪在一件背心裡。這件薑汁背心就在冬天給我貼身穿著，說是可以治咳嗽。所以媽媽一想到我的身體，就不由得要我穿背心，她大大小小給我織了六、七件毛背心，祇是沒有薑汁罷了！

我沒有依媽媽囑咐，仍然是這樣的走出了門。老阿婆提著殘食桶陪我走一陣，看吧，她祇是一身肥大的單布衣褲，我這年輕人該是多麼地慚愧呢！

到了晶晶家裡，她剛吃過飯，和她的媽媽正在房裡削蘋果吃，看見我來了，趕快又削一個給我。梁太太這兩天正不舒服，今天的情形大概更不好，因爲她都懶得化妝了，臉上不施脂粉，眉毛也沒畫，眞不是樣兒，眼角的皺紋像把扇子似的，隨著她的說話一開一合。

美惠給我寄來了一些小學畢業班各科測驗試題，我拿來給晶晶試作。我覺得多接受測驗試題比溫習死背更有用，連著這幾晚，都是讓她每晚試作一科，今天我給她的是自然科測驗題，讓她看著座鐘自己把握時間。

讓她靜心地做答題，我到外屋來閒坐著。外面房簷的鐵板嘩嘩地響，是起風了，那麼老阿婆說得眞不錯，眞會有颱風嗎？

我拿起一張晚報沒看兩行，梁太太忽然問我：

「你媽媽是不是叫孫曼雲？」

「是呀！」我很奇怪，她怎麼忽然問起這個，而且從哪兒知道的？但是我絕不問她，我沉得住氣。

「沈克康是你親戚嗎？」

「沈克康？嗯，是呀！」越問越奇怪了，她剛說出沈克康的名字，我還眞一時想不起呢，他雖是我的姊夫，但是我們生疏得像不認識一樣。

「沈克康和晶晶的爸爸都是紡織界的朋友。」

我倒忘了，晶晶的爸爸是在台灣最大的旭光紡織公司做事，和沈克康當然是同行了。

「喏，昨天你出去，走進來的就是沈克康嘛！」

「啊！」我斜頭想了想，昨天我出門確是有一個男人進來，在沒有燈光的院門處，我並沒理會。我點點頭。她又問：

「你們是什麼親戚？」

她問得實在太多了，是眞的沈克康沒對她說明，還是她故意問我？我沉思了一下，祗好這麼說：

「沈克康的太太也姓夏。」

也許我說話有些吞吐，使她感覺不便多問，她這才沒再談下去。我翻動著報紙，也無心看下去了，祗聽外面的風東衝西撞，確是颱風的意思。我心想，人，什麼地方都會遇著的，在這半鄉鎭的角落裡，我也會被沈克康發現，台灣眞不大！既然他告訴了梁太太媽媽的姓名，還能不說出我們的關係嗎？但這又有什麼關係呢？

我爲什麼怕梁太太知道，就因爲她總是表現著自己高於一切嗎？我藉著看晶晶的功課，起身走進書房，晶晶已經做得差不多了。這時門鈴響了，隨著就聽見晶晶的爸爸回來的聲音，他進門來就和梁太太說：「好大風，街上燈都滅了！」

我一聽怪著急的，怎麼走這一路回家？盼著風能停。

接著外屋沒有聲音了，大概晶晶的爸爸又在翻動書報，那似乎是他回到家來的唯一工作，還是當女兒每天占據了他的書房才這樣？

晶晶把功課作完交給我，我輕輕對她說：「我要早回去，帶回家給你批改吧！」晶晶點頭。

晶晶的爸爸進來了，他看見我似乎一驚，沒想到在這大風的晚上，我還賴在他的書房裡吧？他「哦」了一聲，向我點點頭。他穿著淺灰色花點的 home spun，敞開鈕子，兩手插在褲袋裡。當他以不知有客人在屋裡的無拘束的樣子走進來，是很有點兒灑脫勁兒的。

頃刻之間，屋裡的電燈也在一閃一閃的明滅著，終於全滅了。晶晶撒嬌的說：

「爸爸一進來，就給我們家裡帶來黑暗！」

當他們喊著阿蘭找蠟燭的時候，我對晶晶說：「家裡如果有手電筒借我一個吧！」

「你不要走了。」晶晶說。

「那怎麼可以，我媽媽也在等我呀！」

這時梁太太舉著一支白蠟燭進來，燭光照在她披散著的頭髮和黃亮的臉上，我有點怕。

阿蘭也進來了，晶晶的爸爸說：「路上黑，叫阿蘭送夏小姐吧！」

「啊！怕！」阿蘭立刻縮著身子笑說。

「那麼，」梁太太向梁先生說，「你送送夏小姐吧。」

「不必，沒關係！」我不知道這位男主人會表示什麼，所以我乾脆先仗著膽子逞能這麼說。

「當然要送，當然。」梁先生說。

既然當然要送，爲什麼剛才不敢一下子開口說自己送，而要阿蘭送呢？非等太太的命令嗎？

我整理晶晶的測驗卷子，燭光在我身前的桌上搖曳著，晶晶的爸爸就站在椅背後面等著我。我心裡有點亂，以輕微的咳嗽掩飾我的不安。

我收拾好袋夾，準備要走，他還呆靠在椅背，眼望著燭光。我微笑地看著晶晶，晶晶喊了：

「爸爸，發什麼傻，走啦！」

他這才如夢初醒地抬起頭來，逗逗晶晶的下巴，很無聊的樣子。

走到外屋，梁太太正在整理什麼。我說：「眞對不起，您不舒服，休息吧！」

「好走，這樣大風還害你跑來。媽媽要著急了吧！」

「不會，我又不是小孩子。」

她總是拿我當小孩子，我是老師哪！

門一打開，正好來一陣風，立刻把門打到一邊，晶晶的爸爸向阿蘭要了街門的鑰匙，他告訴阿蘭，不用等給他開門了。

路上果然黑得很。風打過來又打過去，像個淘氣的小孩子，圍繞在大人的身邊亂跑。它跑在前，我的前裙被吹蓬起來；它跑在後，我的後裙又鼓起來。我一手拿著書本，一手要理裙子，忙死了。

路上一個行人也沒有，這是一個應當停止一切行動的晚上，我爲什麼還跑了出來呢？責任心重，衹是一半的理由，另一半是由於這家裡有一股吸引我的力量。看晶晶父女倆的偎依，我欣賞；聽外屋夫婦無聲，而他獨自翻閱報紙，我同情。我不信他們這三人間過得比我和媽更愉快，無論他們的家庭怎樣富有與平靜，那表面明亮的後面，總有一道陰影的，我相信。

手電筒的光圈投在小巷的地上，有時看起腳下的東西並不太清楚，我最怕是有吹斷的電線落在地上，其實，整個的電都熄了，還怕碰到電流嗎？

他一直沒有說話，我這時很大膽，轉過臉直看他的臉，太暗了，看不清楚。他衹顧低頭走，好像專心在給我挑選可走的路。但他忽然伸出手來說：

「把書來給我拿吧！」

他好像知道我在看他，所以這麼說似的。

我也就不客氣的把袋夾遞給他，「那麼手電筒由我來拿吧！」

「也好，」他交給我手電筒，居然也說了一句笑話，「有人是願意照耀人而不願被照耀的！」

「那倒也不是，手電筒拿久了手也很酸呢！」

話說開了頭，我眞希望他再跟我談下去，當然，沉默也是很有意思的，因爲當兩個人不說話的時候，各人的心裡一定是有更多的話。

一陣風迎面吹來太猛了，我不由得翻轉身體，倒走了兩步，長髮都被吹倒在前面來，我並不太覺得冷，卻故意地縮起兩肩。

「冷嗎？」他擔心問我。

「還好。」我衹是瞎回答，這並不是我心裡的話。

「披上我的衣服吧。」說著他就在脫。

我連忙說：「不用，一會兒就到家了！」

「那怎麼可以，你的身體不好。」他已經脫下了衣服，我衹好停住腳步，隨他替我披上。

我雖然不太冷，但是這件還帶著他身體的熱氣的衣服，畢竟還是給我增加了溫暖和莫名的神祕的感覺。我一手捏住豎起的衣領，免得被風吹落，忽然想：他怎麼知道我的身體不好？並且這樣關心著我。

我一時沒有說什麼，心中卻起了一陣淒涼，在這漆黑的現實中，我無所適從，祇有裹緊了這件外衣，別讓這股暖意溜走了。

然而，走到有些微弱燈光的街上了。

我停止腳步說：「有亮了，風也小了，我自己走吧。」

「我送，當然要送到家。」他輕推著我前進，簡直是強迫的，不讓人還嘴的地步，我也就祇好走下去。其實公車還是照樣開駛的，但我不提醒他這個。

手電筒可以不用了，我順手放進他衣服口袋裡。

走上橋，眞奇怪，滿以爲四外的空曠，狂風一定毫無阻礙地襲擊過來，誰知卻意外的溫和。也許這時我們被包圍在颱風的中心了，好像說，在最中間的颱風眼中，一切反而是靜止的，多麼奇妙的大自然的現象！

我順著橋欄走，很想停下來靠一靠，看看水，聽聽風，在奇妙的景象中作刹那的停留，不是很有趣嗎？我這樣想，不由得又望望身邊的人。他咬著下嘴唇，背有些彎，那彎不是不健康，而是無可奈何的姿勢。風吹鼓了他的襯衫，不知道他冷不冷？他不會冷的，任何男人把他自己的衣服披在一位小姐身上，都不會冷的。

我倒有些熱了，伸出一隻手輕點著橋欄。他問我：

「平常做什麼消遣？」

「是在家裡的時候多。」

「陪著媽媽？」

「我媽媽也辦公呢！」

「哦？」他略感驚奇的抬頭望著我。難道沈克康沒告訴他我們生活的情形？也許不會，男人對於別人家庭的細節是不太注意的，何況那天沈克康去，他並不在家。

如果是他太太，一定會接著問在哪裡辦公呀，賺多少錢呀，但是他就不再問下去了。我們又無言地走下去，我非常喜歡這意味，略略地靠近他，祇是他不太理會，這又有什麼關係，我這時的心情，本不要別人知道的。

過了橋，面前的公車站上正好停下一輛車，我說：「如果我趕上去，可以坐一站到我家的。」我看他怎樣反應。

「你難道走累了嗎？」

「還好。」

「那麼就算陪我走一站吧！」

我笑了。「我是覺得不好意思，讓你走這麼遠，還得走回去。」

「我回去倒可以乘最後一班車了！」

一直快到家，我們的談話才自然了，但這距離我在他家教書已經快兩個月了呢！

「我們家很小。」我在進巷口時說。

「我們家也不大，比你們多一個人罷了。」他是故意的，還是無意的？我所謂的大小並不是指人口呀！

我們的巷子還好沒有停電，家裡的竹籬笆牆透出一條一條的光亮，母親還沒有睡。

我輕輕說：「到了。」

他也說：「到了？」

我把鑰匙插進鎖洞裡，沒有扭轉，再把披在身上的衣服脫下來，「謝謝你。」我雙手遞給他。

他接過去，搭在手上，也把書夾還給我說：「好好洗一個熱水澡睡覺吧！明天見！」

他轉身走去，我才扭轉鎖開門進來，反身關門的時候，望著他的背影，心中有說不出的感激和愉快。

進了屋門，媽媽就問：「聽著門外好像有人說話，是你嗎？」

「是。」

「跟誰說話？」

「跟——跟梁家的朋友，順路送我回來的。」

我爲什麼要撒謊？如果我說是晶晶的爸爸，又有什麼關係呢？難道這事就像媽媽那天看電影一樣的神祕嗎？

這時風大起來了，雨也落著，玻璃窗格格地響，我幫著母親把各處門窗關好，用報紙把窗戶塞住，不然響得人夜裡會失眠。

雨變急了，大了，我擔心他，不知道這時在公車上？還是仍在路途風雨中掙扎？他的太太一定等得擔心，晶晶也許上了床。在這眼前的時刻，他知道世上多了一個關心他的女人嗎？男人生來就是要在外面擔許多風險的，他要做給她們看，並贏得她們的芳心，不是嗎？所以他即使在路上冒了風雨，也就變成理所當然了。

可憐的拉琪，我也叫牠離開狗屋，到我們的床下避一晚。門窗已經堵塞得差不多了，格格的響聲沒有了。

媽媽喊我：「去洗澡吧，水燒得很熱。」

我請母親替我拿睡衣來，我脫了毛衣和裙子到浴室去。

洗過了肥皂，我跳進澡盆裡浸泡著，好像裹在新打的絲棉被裡。我的胸部在暖暖的水中起伏著，熱脹得有些發疼，但是很舒服。小小的浴室被熱氣瀰漫了，我必須深深地呼吸。隨著胸部的起伏，思潮也起伏著，我有著不可捉摸的迷夢。

母親在叫我了，她說：「睡衣在這裡，曉雲，不要泡久了，還有你的兩封信。」

「誰的？」

「新竹和美國來的。」

還用說，當然是美惠和文淵的，媽媽竟不說出名字來，眞壞！

浴室中的空氣確是不好，我離開它，外屋的清涼立刻使我恢復了清醒的頭腦。我用乾毛巾擦去臉上的汗，先拿起美惠的信。母親問我美惠的近況，我看著信說：

「美惠不舒服了，她說她早上昏沉沉的懶得起床，如果在台北，一定會讓我替她上課。」

「害喜啦，美惠這孩子！」媽媽高興得喊起來。

「您怎麼知道？她信上又沒說。」

「你不信？準保是。這孩子，這孩子，這會兒就要當媽媽了。」媽笑了，她比我還興奮。

等到我看文淵的信，媽媽不問了，她一定以爲這是情書不便多問，但是我一樣的告訴媽，我說：

「文淵的信上說，他是先實習後上課，所以去了就有錢可拿，他離我給他介紹的一位同學住的城很近，有機會一定去看她，信已經寫給我的同學了。還——問您好。」

我把信裝進信封裡，扔在小几上，太猛了，它一下滑到地上去，我也懶得拾起，就和母親默對著，聽外面風雨聲。

停了一會兒，母親懶洋洋地站起來說：「風太大，睡覺吧！」

我說：「您先去睡，我要寫兩封信。」

母親對於我這話也許很滿意，她以爲我要給文淵回信，當然就不催我睡覺了。

我確是一點睡意都沒有，等母親上了床，我把家中所有的燈都熄了，祇留著書桌上的一盞小藍燈，照射在一堆信件和紙張上。並且扭開了收音機，讓莫札特的夜曲，輕輕地陪伴我，這樣就不感覺外面的風雨的威脅了。

我並沒有做回信的工作，卻是拿出我那份抄寫未竟的小說底稿。〈白鳥之死〉已經剩下最後一段待略修改了。平常看別人寫的小說覺得那麼容易，並且苛毒的批評著，原來自己拿起筆來，卻也千鈞重呢！

最後一段，我幾番斟酌，決定這樣結束它：

……再度的掌聲不歇，老師輕輕地推我說：「出去吧，再謝一次幕！」我兩手輕撫著白紗短裙快步的走出去，站在台口，我的兩腳前後錯置，深深地彎下腰去，做一個舞步的謝幕，掌聲依然是那麼熱烈！我偷眼望著第三排上的祖母，她白髮蒼蒼，這樣明顯的坐在觀眾中，她舉起手，但沒有鼓掌，是用那條大白綢巾在擦眼淚。您哭了嗎？不要哭，奶奶，看我長這麼高，這麼結實了，我會永遠地陪伴您。可是，為什麼？我的眼睛也模糊了，眨一下眼睛，我的眼淚連串地滴落在台口上。但是奶奶，您看見沒有，我笑了……

我決定把它寄給《文苑半月》去，這是一本我最喜歡的純文學刊物，但是它能刊出嗎？給編輯先生寫一封簡短的信吧，告訴他這是我的第一次的投稿，希望得到他的鼓勵。

地址呢？不要寫在家裡，退回來被媽媽看見怪難為情的，同時媽媽可以看出我是以什麼心情在寫這篇稿子——懷念姥姥沒有關係，而把父母寫成死去了，這是什麼意思！

台北已經沒有親近的人的地址可借用了，除非——除非由晶晶的爸爸梁——梁

——梁思敬辦公的地方轉，我這樣寫，不會被他怪罪嗎？那麼我再寫封信告訴他這情形吧。

給編輯先生和晶晶爸爸的信也都寫好了，我起了個筆名是孫芸。

時間這樣不耐過，摸摸索索就是幾個小時過去了，外面風聲已經漸漸地平息，收音機也在向聽眾道晚安了。

媽媽的呼吸很勻稱，她辛苦了一天，得到什麼？女兒的謊言，茫茫的未來。

我把信件封好貼上郵票，放在我的書本裡，明天一早寄出去，下午就可以到達了。

過度興奮的處理這許多事，竟很難以入睡。把梅特林克的《青鳥》找出來，消磨這失眠之夜吧！希望那兩個在記憶之土，在將來之國，在月宮，在森林尋找青鳥的小孩，把我帶入夢境。青鳥的意義是幸福的象徵，而牠祇有從自己的犧牲中才能得到。但幸福何能久握，奇妙美幻的世界，會像青鳥一樣地飛去！

六

幾天來，全在不安中度過。沒有得到晶晶爸爸的絲毫反應，眞使我氣餒！在給他寫過信的第二天晚上，也就是颱風的次日，他沒有在家，第三天他出現在書房一下，衹是在玻璃櫥中取一本書，他對於我那種視若無睹的樣子，就彷彿從來沒有發生過在颱風之夜送一個女孩子回家，也從來沒有收到這個女孩子的信似的！以後連著兩天這樣下來，我完全失望了，別人常說的「自做多情」這句話，正應了我的情形；但是我實在忍不住，胸懷常常是被什麼充塞得滿脹的，總有一種要捉住一個什麼，倚靠它，傾訴出來的感覺。

昨天，也不知被什麼所驅使，從家裡茫然的走出巷口乘上公車，到他辦公室的附近下車來，先到熱鬧的商店買了一包點心，和在文具店裡買了一本記事本，這些原不一定非乘了車到這裡買的。然後我故意的，但表面卻是悠然無心的向那座新建的四層大廈走去，在門口的書攤前停下來，翻翻這書那書，卻祇花一塊五毛錢買了一本《今日世界》。旭光紡織公司的沖天大招牌矗立在樓外，閃亮的金色大字被鑲在有格子洞的金屬板子上，從這條街走過，無論左去或右來，都看得見的。公司的人出出進進，最下的一層亮著螢光燈，我雖盯住每個出入的人，但是他們並沒有注意到我。如果我毫不在意地走進去，向詢問台問一聲：「梁思敬先生在哪一層？」人家也許很平常地答覆我：「二樓，二一二號」也說不定。我可以大大方方的上樓，找到二一二號敲敲門進去。但是我去做什麼呢？祇是問他收到我的信嗎？有《文苑半月》的稿件退回他轉給我嗎？這也未免太小題大作了。

我站在書攤前翻閱著《今日世界》，當大批的人出來，登上他們的巨型交通車，並且鐵柵門拉上了，我不得不失望的離開這裡，我所希冀的那種不期然而遇，終沒有成功。我踽踽獨行，信步走到新公園，網球場中正有幾個男女在玩著，我佇立在鐵絲網外，心中不知為什麼這樣的愁悶。

今天，我又坐在書房裡了，晶晶靜靜地做功課，我在給她批改昨天的作業。晶晶說，媽媽和爸爸都出去應酬了。這是很難得的現象。我兩個多月來，簡直沒聽說過他們夫婦一道出去過；對於晶晶的媽媽這是不平常的，事實上她也不愛出去，祇是坐在家裡發號施令，一架電話已經夠她向四方八面聯絡的了。想到這對夫婦並不如我想的那麼隔離，她今天竟也和他並肩而行，我心中越加的不自然，覺得我日前寫那信眞是多餘的事，怪不得得不到一點點表示，連表示說，「我已經收到你的信了，一定接受你的託付」的意思都不曾有過。

想到這裡，我眞有要哭泣的心情，我被羞辱了，但咎由自取，我又怪誰？

阿蘭端來了兩杯牛奶和一碟起士餅乾，她對晶晶說：

「你媽媽在打牌喲，剛才來了電話，說要很晚回來喲！」

「有什麼稀奇！」晶晶瞪了一眼，那神氣就像阿蘭侮辱了她的媽媽。

「你媽媽向來不打牌的嘛！」阿蘭嘻嘻的笑著，因爲女主人不在家，她便也現出天眞的孩子性來，當然，她也把我列入她們的孩子群了。

「媽一定是被人拖住了，」晶晶向我說，「她最不喜歡打牌呢！」

「是的，我看你媽媽不常出門，總是在家的時候多。她喜歡做什麼？」我問。

「她嗎，什麼也不喜歡。」晶晶兩眉向上一伸，嘴一抿，做了一個無奈的神氣。

「祇是喜歡管管你爸爸。」阿蘭淘氣地吐著舌頭笑說，晶晶也笑了。

可見這家生活的內部，在阿蘭的眼裡是看得清清楚楚的，而晶晶似乎也不否認這一點。

阿蘭看晶晶笑了，越發的大膽，擠到面前來，彎下腰伏身在書桌上，把頭湊在檯燈旁。

聽阿蘭的談吐，一定是念過書的，所以我問：「阿蘭，你小學讀了幾年？」

「讀到五年級才休學的，老師，也教教我吧？」她嬉皮笑臉的。這時門鈴響了，晶晶說：

「去開門吧，媽媽回來了，我告訴媽媽你沒規矩。」

阿蘭擠眼笑笑去開門，進來的卻是晶晶的爸爸，阿蘭跟著進來，立刻改變得很正經，倒招得我和晶晶都笑了。

晶晶的爸爸進來了，我和他目光相遇，他也就不得不向我點點頭。我覺得很難過。他對我原來的印象也許不錯，但是我多事的爲投稿去打擾他，一定使他的感覺一反往日，而變得討厭我了吧？如果再加上他聽到沈克康談起我的家庭情形，更是不把我放在眼裡了，我怎麼能不難過！

「媽媽怎麼沒和你一道回來？」晶晶問爸爸。

「她在打牌。」

「你怎麼不等她？」

「要等很久，所以我先回來陪你。」爸爸向女兒開玩笑，但是看了我一眼笑笑，他站在晶晶的椅子的後面，檯燈衹照到他的胸部，他的臉在燈光的陰影中，看來彷彿更柔和些。晶晶聽了也向我擠眉弄眼做個鬼臉，好像說：「你聽聽！」

他進到內室去，晶晶才又安靜下去做她的功課。我很無聊，從頭上摘下一個髮夾來彈著玩，因爲靠近日光檯燈，祇聽見檯燈裡面發出極細的電流聲。晶晶把頭伏在桌上了，我看看手錶說：

「你睏了嗎？倒是已經九點了。」

「不，我一定要把這些習題做完，因爲明天要交的。」可憐的孩子，已經被考期日近逼得苦透了。她想想又說：「老師先回家吧！」

「不，我也陪著你，」我說，「但是把這杯牛奶喝下去吧，它可以給你提提精神。」

她好像不知道牛奶的香味，祇是盡義務的喝下去，又埋頭在她的功課上了。

我仰身靠在椅背上，拿起晶晶的筆記本翻閱著，用紅筆改正上面的錯字。

晶晶的爸爸不知什麼時候走過來了，我並沒有注意，直到一本書默默地遞過來，壓在晶晶的筆記本上面，我才吃驚地看到那上面《文苑半月》四個橫寫的大字。我不敢抬頭看他，悄悄地翻開第一頁，心忙意亂地順著目錄看，發現了〈白鳥〉兩個字，底下是「孫芸」，我心跳得厲害極了。

頁數是第二十四頁，我顧不得看別人的作品，一下子便翻到了那一頁，頁裡卻夾著一封雜誌社寫給我的信，確是由梁思敬先生轉的。我這時的驚喜，眞是要喊出來了，但是我並不形之於色，內心雖然激動，卻不便當著晶晶的面撕開那信，祇是把信拿出來，放進我的書夾裡，預備回家再看。現在先看一遍刊出的作品，是否經過許多的修改才和讀者見面，因爲第一，題目已經由〈白鳥之死〉改成〈白鳥〉兩個字了。

我匆匆地看了一遍，全篇並沒有什麼被大刪改。寫的時候覺得很吃力，字數已經到達飽和，再也無法增加下去，但是登出來竟是那麼短短的三頁，而且發現許多地方寫得很草率，原來原稿紙上鋼筆字的作品和刊出後的鉛字作品，彷彿變了。

他這樣默默的把書遞給我，不聲張，也不解釋，這種無言的動作，含著深切的彼此心知的意味——當兩個人不說話的時候，表示他們的心裡有更多的話，我一直是這樣認爲的。

而他今天的早歸，更是專爲了這件事的見證。想像他趕著回來，一定擔心我會不會回家了，因爲這是一個難得的機會呀！想到這些，一星期來的疑慮、不安，全在這頃刻間打消了。我是一個敏感的女孩，有太多的自卑，所以常被憂傷所侵襲，我以後應當怎樣的除卻我這種不良的性格呢？一切都不必懼怕吧，盡量尋找生命的快樂，把握幸福的每一時刻。

我這樣勸告和鼓勵自己，便很安心地闔起書來，把晶晶的作業抽到上面來繼續閱改。晶晶沒有注意這一切，她終於呵欠連天的放下書本，伸著懶腰站起來了。

我替她把書本整理好，放進書包裡，我說：「快去洗臉刷牙上床吧！」她道聲「明天見」，歪歪斜斜的走進後面去了。

我走出外屋來的時候，他正在喝臨睡前的牛乳，看見我出來，他站起來了。我大膽的說：「謝謝你。」他說：「何必這麼客氣。」

我開門出來，他也跟出來了，阿蘭大概在幫晶晶打水洗浴，不然總是她出來送我的。走出街門，他說：「寫得很好。」

「哪裡，瞎寫。」他居然讀了我的作品，使我慚愧，不知怎樣回答才好。

我們站在門口說話，被月亮的清光照著，遠處傳來青蛙的咯咯叫聲。他說：「我送你吧！」

我看著天空說：「不必了，有這麼亮的月。」

他說：「正因爲有踏月的興趣，我送你到大街，好吧？」

我沒有答應，但是我們已經開始走下去了。

「稿費來了要請客吧？」他當然是跟我開玩笑。

「我眞要請，你肯去嗎？」

「當然，稿費不是仍由我轉嗎？」

「是的，要是人家給的話。」

「好的，收到我就通知你。」

我決定乘公車，到大街上就請他回去，他果然淡淡地點點頭，轉身埋入黑暗的巷中。

回到家裡來，母親不在屋裡。我以爲她是在浴室中，便把《文苑半月》的來信拿出來。薄薄的信，先以爲是稿費單，打開看原來是編輯先生的信。他說收到我的稿子看過後覺得我是一個很有希望的作者，爲了鼓勵我，稿子即刻發排了，提前於本期就可以刊出。看看日子，是我寄稿的第三天，那麼，晶晶的爸爸是早收到了，卻一直沒有給我。如果他早給我，何至於使我不安了那麼多天呢！而且這本《文苑半月》並不像是雜誌社寄給我的，那一定就是他特意等到今天出版日買來看的了。這一切的含蓄是多麼深切，我還要怪什麼呢！

我走進屋去，捻開書桌上的檯燈，才發現母親在燈座下面壓了一張條子：

「雲兒：敏姨家的弟弟來了，說敏姨又犯老病，今天氣促難過，要我去一趟照顧，晚上也許不能回來。洗浴後注意熄廚房的火，門窗關好。母留字。」

原來母親是出去了，今晚不一定會回來，我先把家裡一切都關閉好，再來細細享受一下讀自己的作品的快樂吧。

書桌上放著菸灰碟，裡面有好幾支剩菸蒂，每枝都被壓擠得彎扭著。這是母親吸的，她今晚怎麼吸了這麼多支菸？祇是排遣自己的寂寞無聊嗎？那她也用不著用力擠菸蒂呀！一定是她在想心事，也許愁悶難遣，拿菸蒂發洩吧！可憐的母親，我怎麼能知道你的心事！

我洗浴過後，舒舒服服地半躺在沙發上，再三地讀著這本刊了自己第一篇作品的雜誌，比較一下，別人的寫作的確強多了，我還得努力。我對寫作原是很有興趣的，是承襲姥姥講故事的愛好，但也承襲了母親的懶散，所以一天天這樣的混沌地過著，不知自己歸宿何處，如果能努力於寫作，接受這位編輯先生的鼓勵，不是很好嗎？

母親走得很匆忙，看，這件老骨董的黑印度綢外套，就團著扔在這裡了，明天要穿又得熨一遍，讓我來把它掛起來。咦！什麼東西掉出來了？一封信——寫給林平倉教授的，怎麼會在媽的衣服口袋裡？原來正是媽媽自己的筆跡，是她寫給林教授的。信封還沒有封口，我是不是可以抽出來看看？是不是可以？

我的心情很緊張，因為它使我感覺到媽和林教授之間是不普通的，如果它是一封被女兒看了不妥當的信怎麼辦呢？

這封信既然放在外衣口袋裡，一定是媽媽預備帶出去寄發的，但是因為敏姨家的弟弟來報告敏姨的病，她便急著走而丟在家裡，所以它是被扔在外室的沙發椅上。

心情幾度的掙扎，我終於抽出了這疊信紙，它竟密密麻麻的寫了五頁之多，我從頭看下去：

平倉先生：

昨日晤談，聽了您許多寶貴的意見，和對我們母女的愛護，我首先應當感謝您。回家後雲兒已經到家館去了，寂寞庭院，祇有小犬迎吠，我獨自晚餐後，想著和您暢談的情景，不禁使我聯想到許多事，過去、眼前和未來，都從我腦中不斷地往來穿梭。弱母女相依為命，確是有一股辛酸，但是命運既然這樣安排了，我就得屈服於它。未來，我從來沒有打算過，您勸慰我說，認命已經是落伍的名詞，一個生於現代的人，應當有勇氣改變自己的環境，走向更理想與快樂、健康之途。這樣的話，敏姊也對我說過不少次。而且我並不是守舊的人，雲兒的思想也很開明，如果有您這樣一位處處令人敬慕，願意以男性有力的雙手，保護著我們母女倆，和您共同走向光明的坦途，我怎能一口拒絕？昨天您委婉而理智地對我談著這些時，我不是鐵石做的人，能毫不動情嗎？您見我不說話，以為冒犯了我，而說：「我的話太衝動了嗎？」其實我是無法正面答覆您。因為照著情理說起來，我是應當很快樂地接受您對我們這番情意的。何況自從接近您以後，我早已感覺到我們是漸漸趨向情感之途，您對我的愛護我也早有了解了，所以昨天您正式地向我提出這種計畫時，我並不覺得突然，因為在心理上，我早已有此準備了。但午夜夢回，聽雲兒在熟睡中不自覺的咳聲，我有多少改變自己環境的計畫，都被這一咳聲驚破了，在雲兒沒有得到她滿意的歸宿前，我以全心全愛守護著她，是我的責任，更無遺憾。

自從先夫謝世，我從來沒有過打算改變環境的意念，這是我可以發誓的。但是也許我的消極的表面，很容易給人一種什麼感覺，所以敏姊首先就在言談中勸解我應當振作起來。其實她完全錯誤了，在和雲兒的偎依中，我並沒有什麼不快樂，若有的話，也就是不時擔心著雲兒的病，但是她如今健康多多，每天在家裡和外面的工作都能勝任愉快，這樣，我又有什麼不快樂的事情呢？

後來生活中撞進了您，倒是時時給我不安了，因為您確不比一般的人，您的言談、您的情態，都漸漸在我心情上占了一塊地位，這，我也無可否認的。但是這不安越在我心情上增加，我竟越發的要推出去，這矛盾的心情，實在應當源溯到我的身世所造成的環境。我拙於言談，您是知道的，所以即使和您單獨見面，我也辭不達意，話一說出，妥不妥當，駟馬難追，寫在紙上，可以塗塗改改，就安心得多了。今晚窗外月華如水，我祇當月下和您清談，暢我所言，就得從頭說起了。

先外祖遊宦京城的時候，在城南的會館裡，發現了一個苦讀的青年（他當時祇有十六歲，祇可算是少年吧！）熒然燈下，先外祖為他的朗誦聲所感動，打聽之下，原來這是一個無依無靠的孤兒，先外祖愛才如命，不但幫助他，提攜他，而且把唯一的女兒許嫁給他。

先外祖母不太贊成這門親事，她認為沒有親戚的往來，是使門第無光的。在杭州的西子湖畔是我們的老家，先外祖母說，那裡有的是門當戶對的世家子弟可以聯姻，但是拗不過先外祖的固執，終於把女兒草草遣嫁，那就是我的母親。先母和她的母親剛剛相反，她和丈夫恩愛逾恒，這個家庭的組織很別致，是先外祖帶著女兒和女婿，先外祖母卻固守老屋不肯到京城來，不久就含怨而孤獨地死在家鄉。

孤苦的童年，使先父體弱多病，即使是美滿的婚姻，也不能挽回他的痼疾，終於在二十幾歲上就與世長辭，遺下先母和稚齡的我。我還遺落一筆，在先父去世的前一年，先外祖已早一步故去。

京城裡，祇剩下流落異鄉的我們母女，但是那情景並不太淒涼，因為我們的生活還過得去，先母對於我寄望甚高，她常說先父、先外祖都是飽學之士，先父的才華更是使天都嫉妒，所以早早的要了他的命。她要我好好用功，她說一脈單傳，多麼寂寞，我們應當使家族熱鬧起來。我接受新教育的洗禮，又沒有經過大家庭的熱鬧，所以先母的希望並不在我的理會中，當讀到大一的那年，我的恩師夏一峰先生就成了我的丈夫。

先夫的為人，您也許聽說過，人人都說他一生沒有做錯過事，祇有和我的結合是一樁大錯。我相信這話，但是我可以說，對於別人這也許是個錯誤，但對我們倆本身來說，我就從來不認為是錯的，我雖愧對先母，卻並不後悔我們的結合。

但是周圍的許多事情，都因為我和先夫的結合而破壞了，先母傷透了心；先夫的家庭失去了男主人；還有小女雲兒，人生的開始就使她過著有缺陷的家庭生活，而後來她又是那麼尷尬地生活在人群中，所以造成她是敏感而內向的女孩，我對她實在缺欠了許多。

雲兒事母至孝，比起不孝的我強得多了。我對許多人都是缺欠的，先母在那最艱苦的日子裡，為我照顧雲兒，直到把雲兒交給我，她才很不甘心地死去。先夫為了我拋棄家庭和事業，帶著我躲避海隅。現在這些人都去了，祇有雲兒還活生生地在我的身邊，但她這麼嬌弱，我再不能讓我有任何的變化而給她情感上的打擊。

所以，我今後的時光多半是照顧雲兒，但我的這種行為並不是在對已往贖罪，事實上是她需要照顧，直到她有了更美滿的歸宿，而不需要我照顧的時候。

您有很多機會可以得到比我更完美的女性和更幸福的婚姻，請不要為我擔心。雖然有一天我接到您和別的女人結婚喜帖時，不無悵然，但是在目前，確是一切都不如我和雲兒的偎依更重要！

先夫死後，沒有人督促我執筆了，筆下荒疏，心緒又亂，塗抹祇是略表心意。夜闌人寂，多多保重。

曼雲於十七日燈下

看完媽媽的信，我把它放置在腿上，深深地舒了一口氣，倒在沙發背靠上。原來我在不自覺間是緊張著心情看完這封信的。它不是一封情書，但是它的情意深長。媽媽向一個男人道出了她從沒有對人說過的心情，而最後的結論竟落在「雲兒」身上！我是幸呢，不幸呢？

幸與不幸應當怎樣解釋？我是很幸運的，因爲我一直都是在全心全意的愛護下長大的。最初我是爸媽的愛的結晶，然後被擁抱在姥姥的懷裡，接著是媽媽，她們對我的愛，沒有人可以搶奪，有的話也會被推出去，就像媽媽這封信，不就是把林教授推出門外了嗎？

但是這樣的愛卻又顯得多麼悲涼！好像一隻五彩的蝴蝶襯在銀色蛛絲網上，美是美極了，可是多麼不自由呢，她被纏住了！

母親對我的愛，正像蛛絲纏住了我倆的腳，如果我眞正孝順母親，正應當拉開這蛛絲，就是媽媽說的，唯有等我有了可以使她安心的歸宿。如果我有了歸宿，豈不等於她也有了歸宿？

我的幸福是建築在別人的不幸上，媽媽是愛著林教授的，她在信中幾乎表明心跡了，如果眞的有一天，我和媽媽去參加林教授的婚禮，媽媽的心情能毫不激動嗎？而我這已知母親的心情的女兒，又當感覺如何呢？

媽說她不是守舊的人，也就是說她原可以再嫁，尤其是嫁給像林教授這樣的男人，她不是從來沒想過，祗是目前不可能，因爲「雲兒需要照顧」。母親像我這樣的年齡已經生了我兩、三年了，正忍受著人們的唾罵和姥姥的不滿，追蹤著一個比她大了二十歲的爸爸，到抗戰的後方去。而我這時卻還倚賴在母親的身邊，做個嬌弱的女兒，這是個多麼不幸的幸福！

我把信仍舊仔細的摺疊起來裝進信封裡，我瀏覽著信封上媽媽娟秀的筆跡，想她寫到「林平倉」這三個字時，該是多麼的惆悵，菸灰碟裡擠壓了那麼多菸蒂，媽媽的心境並不平靜。她有沒有哭，當她寫到「午夜夢回，聽雲兒在熟睡中不自覺的咳聲」時？我眞的是那麼病弱嗎？可是我覺得我近來健康得很，健康到有一種想展翼而飛的感覺，想遨遊天空，想嘗試一個新的生活的滋味，這是個什麼心情啊！

我把媽媽的信小心的仍放進她的外衣口袋裡，我提起這件舊衣服來看，領上有了一層油污，實在應當擦擦去污油了，但是我此刻不能做。我仍把它照著原來的樣式躺在那裡，那樣子就像是我一直沒動過它，我不知道那裡面有一封信，有一段媽媽的祕密，但是一切我都知道了。我此後不應當祇顧在母親的懷中撒嬌、倚賴，我會不時的想到母親，怎樣使她有眞正快樂的生活。

我連桌上的菸碟都不去收拾，表示我對一切的一切都是無知無覺的。

七

空氣是看不見、摸不到的東西，但是它特別影響人的情緒。昨夜在清淡的月光下，我抱著母親的枕頭愁悶難眠。難道母親眞說得不錯，我是禁不起情感上有一點點打擊的女孩子嗎？要說，看了媽媽給林教授的信，我並不覺得頂奇怪，因爲我懷疑母親和林教授之間的不平凡，是早有的感覺了，但是當它被證明了以後，反不如在懷疑的時期，無論如何，它在我的心湖中，起了波紋。而且它是在擴張著、擴張著，使我聯想到那樣多。

今晨不同了，我早早被拉琪的叫聲驚醒，我沒有梳洗，穿著肥大的睡袍跑出來。太陽還沒有完全升上來，我打一下拉琪的頭問牠：「你鬼嚎什麼？」牠向我眨眨狗眼兒，不哼聲了。

小小的草坪上，那棵不知名的針松類，這時竟是一個奇觀：一夜的冷露使得滿棵的松葉上都是露珠，像穿滿了小粒珍珠的冠，爲什麼不叫它「珍珠松」呢？

我要去看珍珠松！脫了拖鞋，赤腳踏在濕冷的草坪上，我穿的是從美國救濟衣服買來的一件長身白睡衣，這樣站在珍珠松的面前，豈不像神話中的少女？清新的空氣和晨景浸潤著我的心，昨夜的愁悶飛揚了，啊！我畢竟還是一個敏感的女孩，我怎能否認！

我想去抖落這棵珍珠松，讓上面的露珠全灑在我的頭上，讓它們順著我的臉流下來，我用嘴去吸取它們，然後我的頭髮是濕的，睡衣是濕的，我再去梳洗。

我解釋不出我爲什麼要這樣做，我不但敏感，而且古怪，也許我衹是個小孩子，喜歡這樣玩玩吧？拉琪站在草坪外斜著頭看我。

但是這時街門響了，沒等我離開珍珠松，媽媽已經開了自動鎖進來，我仍然站在草坪上，媽媽驚疑地看著我，喃喃的說了一聲：「怎麼？」便走過來了。

我向媽媽微笑著，她大概仔細看了我這副穿著長睡衣赤腳站在草坪上的樣子，也不免好笑了，她說：「這麼早，這個樣子要受寒。」

我笑說：「很舒服。」

媽又問我：「今天怎麼起這樣早？」說著她向屋裡走去。我想到外屋沙發上的外套，便毫不在意的說：「我昨天好睏啊！一進家門，簡直什麼都顧不得就睡了，所以今天起得早，起來就被拉琪叫到這裡來。」我抱起黑緞子拉琪來，吻著牠的嘴巴。拉琪，祇有你知道我的謊話！我說著就赤著腳跑到洗臉間去。

我在洗臉的時候，媽媽也過來了，我問：

「敏姨怎麼樣了？」

「還好，反正打了針就不喘了，氣候影響的關係，前些日子因颱風變天氣，所以支持不住了。」

「是呀，我們人類就是受那看不見、摸不到的空氣的影響。」這是我早上對於空氣的感覺，說出來給媽媽聽。

「我要不要去看她？」我接著又問。

「啊，我還忘了，你敏姨說，叫你有時間就去幫幫她算分數、登記成績什麼的，剛月考過。」

媽媽隨便擦把臉又說：「我要去睡一覺，昨天在人家沒睡好。」

等我洗好臉回屋去的時候，媽的外套已經離開沙發了。我走進臥室去，媽臉朝裡和衣睡著。我看看，連書桌上的菸灰碟都打掃乾淨了。她一定會暗自的說：幸虧沒有被雲兒看見，看見了多不好意思呀！

天氣漸漸熱起來了，我把長髮高高的梳起，紮成一條馬尾巴，我的髮邊總是有些柔軟彎曲的短髮，就任它鬆散著，前額的短髮，我也不梳整齊，隨它前仰或後合！我凝視著鏡中的影，輕輕摸撫自己的臉，白皙的臉龐，顴骨的地方，有一顆棕黃色的痣，蒼白的嘴唇，我伸出舌頭舔了一遭，它濕潤了，還像樣些。

我換了鮮紅的府綢襯衫，配上黑裙子，顏色眞顯明，如果一個男孩子見了我，一定會說，那是火中的一朵白蓮花！啊！我對著鏡子微笑了。

我無所事事推出自行車，好久沒有騎了，覺得很新鮮。來到街上，不過想給拉琪再買一根皮帶，原來的已經被牠咬壞了，牠和我一樣，衹想往外跑，現在就跟在我的後面。

《文苑半月》的稿約上說，他們的稿費是刊出稿子的一星期內便寄給作者，不知是不是眞的。我想打個電話問雜誌社，是否已經發出，那顯得太小器，那麼打個電話問晶晶的爸爸？那更顯得小器，好像我不信任他，怕他吞下了，又好像在等稿費買米，其實我衹是想藉此接近他，讓他看看火中的白蓮。

紅色的電話亭誘惑著我，我停下車從小皮包中找出一個五角硬幣來，走向電話亭。在電話簿中翻找到旭光紡織公司的號碼，電話撥過去，是女接線生的聲音：

「旭光。」她衹說兩個字。

「請接梁思敬先生。」

停一下，有個男人的聲音了：

「喂，我是梁思敬。」

「我是——曉雲。」

「哪一位？」

「夏曉雲。」

「啊，夏小姐。」

底下該怎麼說，毫無準備，我衹是無可忍耐的想打這個電話而已。「嗯——有我的信嗎？」

「你好像已經先知道了，你的稿費早上剛剛到。也許是昨天晚上就送來了，早晨一來就看見擺在我桌上。」

「謝謝你，嗯——」

「是不是要請我？」

「那是已經答應過你的呀。我就在離你不遠的地方。」

「在樓底下？」

「不，在——我在哪裡等你好？」

「你說。」

「在你斜對面的曼莉好嗎？」

「好，回頭見。」

我放下電話，手是濕的。我買了一塊洗澡的衛生皀，叫拉琪咬在嘴上把牠趕回去，這樣媽媽就懂得我是到別處去了。

我從刺目的光亮的大街上來到曼莉，走進來祇覺得眼前一團黑，好像進了已經開演的電影院。小女孩要把我引到座位上去，他比我先來了一步。

坐下來，我撩撩頭髮，用小手絹搧著我的臉。那怎麼能涼快？無非是掩飾我的局促不安的樣子，實在，我也並不太熱。但是他卻看看房子的四周說：

「還沒到裝電扇的時候呢，喏，用這個搧吧！」他把一份報紙遞給我。

我把報紙接過來，隨便地搧著，他已經低下頭去看價目表了。他的頭髮仍是那種不擦油的隨便梳著，這不像是在一家大公司做事的樣子，不過他的衣著卻很整齊，是高級的西裝料子，他沒有穿上身，雪白的襯衫上結著紅灰相間花紋的領帶，當他眼皮抬起來問我：「要什麼？」的時候，我們剛好正面對著，我雖然趕快閃躲開這太接近的目光，心中卻激動著愉快的波浪。

我也把目光躲到價目表上去，卻什麼也沒有看清楚，祇說：「隨便吧！」

「小姐們總喜歡吃隨便。」他輕輕地笑了。

他有過多少和小姐們吃隨便的經驗呢？我的腦中忽然閃過了這麼個念頭。果然他不徵求我的同意就要了兩杯咖啡。

早上的咖啡館畢竟清靜多了，我們是唯有的客人，在我們之前走出去一位男客，桌上擺滿了盤盤杯杯，是個大食量的早點客人。

小女孩很知趣，她去為我們開唱片，輕音樂立刻使這屋的空氣有了韻律。

他從襯衫口袋中掏出一封信遞給我說：「夠你請喝咖啡的了。」

我接過來立刻打開來，從裡面掉出一疊薄薄的鈔票，數一數是六張十元的，我望著他，我們同時笑起來，他問：

「你寫了多少字？」

「足足有四千字。」我說，「但是我很尊敬它。」

「是的，那是你的嘔心之作。」

「不是這個意思，我是說，即使稿費很少，但是它很快的送給你，就表示他們的信用呀。」

「那麼你就要鄭重的使用它了。」

「所以，」我也就不像初來時那樣不自然了，「我請你吃點兒什麼？」

「我早晨已經吃得很飽了。」他拍拍胃，「不過為尊敬它起見，我也得吃一點。」

我們又要了一些點心，因為我早起是什麼都沒吃呢！

「你的〈白鳥〉很感動人，你對於孩子的心情也很能了解。」他說。

「或許是因爲自己正有這份孤寂的心情。」

他沒有說什麼，默默的喝著咖啡，他是在想我的身世吧，他應當聽沈克康講過的。既是這樣，我又有什麼可隱瞞的呢！

我用茶匙攪著咖啡，棕色的液體隨著茶匙在旋轉，他注視著我的動作，我的指甲是淡青色的，配著略顯蒼白的手，上面還有隱約可見的青筋。我爲什麼喜歡穿紅色的衣服，就是我認爲紅的顏色可以映到我的白色的皮膚，讓它柔和些，不要蒼白得怕人。敏姨常常誇說我很會配顏色，豈不知我祇是爲了遮飾自己的孱弱的氣色。但不知他這樣的注視我的手，是不是使他感覺到什麼了。

我希望他和我的約會不是出於一種憐憫一個可憐的女孩子，滿足這個女孩子一時的高興。我已經長大了，不是嗎？

我停止了攪動茶匙的手，端起杯子來喝，怎麼？我們都沒有話了，祇爲我說我有一份孤寂的心情，這話就接不下去了嗎？但是這樣默默地相對，也有說不出的情趣。

呆了一會兒，我放下杯子對他說：「自從教了晶晶以後，每天看著她的舉止，使我常常回憶童年，那天陪晶晶去看了芭蕾舞，才引起我寫〈白鳥〉的。」我說的是實話。

「你覺得晶晶也很孤寂嗎？」

「不，絲毫沒有這種感覺，她雖然也是獨女，但她的生活比我熱鬧多了。您知道，我的童年是跟一位老年人度過的。」

「哦？」他略感驚奇的說。

我不知道爲什麼要對他吐露我的心情，除了美惠以外，我還沒對人提起過這些呢！我又說：「幾乎像晶晶這樣大，我才離開老人到爸媽的身邊來。」

他並不問我老人是誰，祇是注意地聽著，很感興趣的樣子，我又說：

「但是我很愛這個老人。」

「所以寫成這篇文章？是嗎？環境確是可以造成一個人的性格，那也許不是本性，本性會被埋藏在心底，表露在外表給人看的，常常不是眞的，但也被當作眞的了。」

「人人都有兩種性格吧？」

「我相信是，成分多少的差別就是了。」

「是不是越不說話的人，性格表裡的差別越大？」我覺得我們的話說得很投機，所以才這樣問。

「你的話很多嘛！」他笑了。

「要看在什麼地方說。」我的眼瞥了他一下。

這樣，我們又停住不說話了。停一下我看看腕錶，說：

「耽擱你辦公了吧？」

「沒關係，和你談談是很有趣的。」

和我談談祇是很有趣而已嗎？我有點不高興了；但是我把不高興埋在心底，我總要使他高興和我談的。

「我也該走了，還要去看一個大朋友的病。」

我們兩個人都站起來了，我付賬給女孩，她去找錢的時候，他輕輕地問我：

「眞的是第一次讓你請了？我什麼時候還請你？」

「隨便。」

「又是隨便！」

這樣說了，並沒有訂下次的約會。我們一同走出來，他看我騎上車子，我回頭看他，他還在曼莉的門口望著我的後影。

經過一家花店，看見許多早晨剛到的鮮花，我想起給敏姨買幾枝劍蘭帶去。大紅和粉紅的兩種配合起來，非常漂亮。

在花店的櫥窗裡，我又看見擺著精緻的紙花，它使我想起母親曾經說過想買的話，我為什麼不順便買一些回去呢？我雖然不欲使母親知道我寫稿的事，但第一次得到稿費，就像第一次拿到教書的補習費一樣，應當買些她心愛的東西送她。我又挑選了幾枝縐紙製的玫瑰和含笑花，都做得很好看，母親見了一定喜歡。

這樣，信袋中的稿費花得一乾二淨了，〈白鳥〉換來美麗的花朵和一次愉快的約會，它是很值得的，不能嫌稿費低了，我想著，竟把無香的紙花朵放在嘴邊吻了一下，陽光從門窗射進來，照在我的頭臉上，愉快而輕鬆。

我舉著花朵騎上車子，學生時代使我的騎車技術在無形中練得很高，我一手扶車把，一手舉著一捧花，在艷麗的陽光下，在平坦的馬路上，風馳而過，路旁兩行椰子樹輕飄著高聳的葉子，溫熱帶的風光使我有點迷惘。北方寒冷冬天的童年去了，短髮齊耳的女學生時代去了，現在這樣的我，算是在什麼時代呢？

到了敏姨家了，我跳下車來，捧著花去按門鈴，我心裡怪可笑的，這樣子應當是位男士在叫門才對啊！

弟弟來給我開門，他正拿著書包出來，他見了我也不免「喲」了一聲，我也笑了，說：「你怎麼沒去上課，陪媽媽嗎？」

「頭兩堂正好沒課。」

他幫我把車子推進來，我直奔敏姨的臥室。她平常就不修邊幅，今天病了，頭髮蓬著，就更難看了，她見我進來，高興的喊：「正想你呢！」

屋裡還坐著一位女士，敏姨給我介紹，說是她的朋友張女士。

我把紙花放在桌上，把鮮花拿去給她，用一種報紙上常見的獻花姿勢，敏姨笑得痰喘著咳嗽，她說：

「你可眞還是個孩子，這樣的淘氣。」她又轉向張女士，「她也當老師呢，你看像不像？」

「夏小姐眞漂亮！」

誰不願意別人說自己漂亮呢？我向她們笑了，敏姨用一種欣賞的眼光看著我。

「看見你，我病就好了一半了。曉雲，你今天精神也很好，還是又穿了紅衣服配襯的？」

「我嘛，兩樣都有。」我聳肩笑笑。

「如果不麻煩的話，就幫著張先生一起替我算算學生月考分數成績吧！」

「我來就是爲這個，媽跟我講過了。」

我看看房屋的零亂，問道：「女工呢？」

「她去買菜了。」

「我先來收拾屋子。」

敏姨常羨慕媽媽說，有男孩子的家庭，不如有個女孩子，因爲男孩子永遠不會幫著做家事。

但是像敏姨自己並不比男孩子更細心呀，她忘記自己是個女人了，常常站在男人的那一邊說話。

我一邊收拾屋子，一邊想到這些，覺得敏姨眞是本世紀的一個奇女子。她生病，她的馮先生不曉得知道不知道，有沒有來過？桌上倒是擺著馮先生的照片，裝在老式的小銀鏡框裡，馮先生肥頭大耳的，正呆呆地注視著床上的奇女子呢！我覺得太可笑了，努力咬著我的下嘴唇，不使它笑出聲來。但是敏姨發覺了，她忽然問：

「笑什麼？你！」

我假繃著臉偏不笑出來。她笑說：

「有什麼可笑，他長得就是那樣子。」

「什麼呀！」我裝糊塗。

「什麼！誰不知道你看見他的照片了！」

「我沒有說什麼呀？您眞是——」我假生氣，噘起了嘴。

旁邊的張女士也笑了，她對敏姨說：

「沒人說老馮什麼呀！」

敏姨說：「我看得出這丫頭的表情。」

我乾脆笑出聲來算了，並且索性把小銀框送到敏姨的面前，塞到她的胸前，淘氣地說：

「馮先生，您知道不知道敏姨病了，安慰安慰她吧！」

敏姨滿臉做出怪樣，兩手捧著鏡框說：「這樣要讓弟弟看見，他還會不高興呢！」

啊！所以敏姨竟不告訴馮先生她病了，一點床前的慰藉也怕使前夫之子不愉快，敏姨的大動作中畢竟還是有細動作的。而子女對於母親也竟有說不出的妒意嗎？替自己的生父吃醋，無論法律怎樣進步，傳統觀念生根了，它總是趕不上時代的。

不知怎麼，我猛地也想起了那風度瀟灑的林教授，心情有點不安，說不出是什麼滋味，好像我不會有敏姨所說的弟弟那樣的心情，又好像有一點兒，眞難講。

這樣說，很可能是爲了兒子，敏姨的婚姻生活才變成這樣的嗎？表面說不同居是爲了避免日常生活的摩擦，當然，和不是兩人共有的兒子的生活也包括在內了。

敏姨把小銀鏡框放在床邊的小几上，我便順手又送回桌上，免得弟弟回來看見在床前擺著，不是滋味兒。

我和張女士到書桌邊坐下，整理試卷，敏姨的分數已經打好了，祇差登記和計算，兩班共有六、七十人，也夠整理半天的了。

我們默默的工作著。張女士在另一間學校教書，今天偶然來看敏姨，就被留下了。她對我說，和敏姨並不常見面，大家的生活都很忙，她的孩子又多，怪不得我就從來沒見過她，也沒聽敏姨提起過。

細心地登記著學生的名字，我發現了一個叫梁品品的名字，便對敏姨說：

「梁品品！這和我教的學生的名字很相似，我的學生叫梁晶晶。」

「也許是一家人吧，梁品品的姊妹很多呢！」

「但是我教的梁晶晶卻是個獨女兒。」

「那就不過是巧合了。」

這時張女士也探頭過來看，並且問說：

「你說你教的那個學生叫什麼？」

「三個日字的晶，梁晶晶。」

她斜頭想了想說：「梁晶晶，這名字倒很熟的。」

到了吃午飯的時候，全部的工作剛好都整理完畢，我伸了一個懶腰，打起呵欠來了。敏姨笑說：

「怎麼？又餓又睏了嗎？」

「不是，今天，天沒大亮我就起來了。」

「因爲昨晚把你媽媽留在我這兒，你一個人就睡不著了？」

我笑笑說：「哪裡。」

實在是從昨晚到今天這不到二十四小時內所經過的事情，使我過於衝動、興奮了，眞得好好來個午覺了。

吃完飯，我便和張女士橫倒在弟弟的床上了。張女士也很有趣，敏姨說她是典型的中國職業婦女，這話怎麼講呢？就是家庭的事情也不能放鬆，丈夫要挑剔飲食，孩子吃穿讀書，自己還要出外工作以補家用，這就是中國職業婦女的現況。張女士也說，她今天沒有課出來走走，雖然替敏姨做了些事，反而是休息的心情，因爲沒有孩子的打擾。

等我又沉又香的一覺醒來，張女士已經睜著眼，在發呆地看我了，見我醒來，她才難爲情的笑了，在被生活與工作磨得層層疊疊皺紋的臉上，這一笑卻也透出孩子般的天眞呢！

她看看腕錶說：「敏珩，我該走了。」

敏姨說：「忙什麼，反正也出來了，就豁出去玩一天再回家。」

她彷彿確是有此打算，所以躺在床上的身體，一動也不動。

她忽然問我說：「你剛才說你教的學生梁晶晶，不知道是不是我認識的。小孩子的媽媽是不是講上海話？」

「她說話的口音倒是南方人講國語。他們家住在中和鄉。」

「我倒鬧不清他們現在住在哪裡，來台灣後很少見面，祇在街上遇到過兩次。」

這時敏姨插嘴說：「你們所說的還不定是不是一家呢！沒名沒姓的！」

張女士笑了，說：「那位梁先生叫什麼名字，我可忘了，梁太太叫何靜娟，是不是？」

「喲，我可也不知道梁太太自己的姓名呢！不過——大概是姓何，好像梁太太有時也常給什麼何公館打電話。」

「也許不會錯，她何家人很多，在台灣的我也知道有幾個。晶晶長好大了吧？那是一個可愛的女孩子。」

「晶晶要念中學了。」

「哦！」張女士很驚奇，望著天花板感慨地說，「日子過得眞快，可不是，跟我們老二同歲嘛！那就不錯了。」

「那您眞是認識他們了？」我問。

「豈只認識？我們在上海時住在霞飛路上的同一個弄堂，是對門居呢！」她停了一下向我說，「他們的事，你總聽說過了吧？」

我搖搖頭。

「講起他們的事，像小說的故事一樣。」

「快，快，那就講給我們聽聽吧，正無聊呢！」敏姨是好多了，她已經有精神跟張女士瞎起鬨了，非慫恿她講不可。我呢，似乎已經感覺到那眞實故事中一定有個不幸者，所以並不太願意她在這裡講起。從心底起一陣莫名的同情心，是唯恐張女士講出不幸故事的底細。雖然我也希望知道不幸者是哪一方，但是我也未免太敏感了，也許這是一幕非常有趣的家庭喜劇，我又何必希望他們不幸呢！我在胡亂地想，張女士已經在敏姨的催促下，開始她的故事了：

「這位何小姐雖然教育受得不高，大概祇念到初中，卻是個很能幹的大小姐。」

「這我倒是也聽說過。」敏姨打岔。

「何靜娟的家庭很富有，她的祖父、父親都不識字，但是吃苦起家，在無錫和上海都有紡織廠，何靜娟從家鄉到上海讀書，中學沒讀完，便幫著家裡在上海的公司管理一部分事業，小小的年紀，已經命令著許多員工了。」

「你那麼早就跟她認識了？」敏姨又打岔。

「不，我認識她不過是在勝利後，大概民國三十六、七年的事，那時她已經和梁先生結婚了，梁先生叫什麼來著？」她轉問我。

我告訴了她。

「對對對，思敬，思敬，何靜娟嘴裡一天要唸叨無數回的。我搬到霞飛坊時，梁思敬已經到日本去了。」

我很想問的話，多嘴的敏姨又替我問了：「是到日本去讀書嗎？」

「是去留學的，但主要的還是爲他丈人家的事業打開貿易的路線吧，我就不太清楚了，衹是聽他們家人那樣講。說起這兩人的婚姻，倒是一件有趣的事，」她說到這裡又問我，「你看梁太太是不是比梁先生大幾歲？」我早已有的感覺，證明是不錯的，晶晶的媽媽確是比爸爸大，但是我仍裝糊塗地搖搖頭。

「看不出來嗎？」張女士說，「何靜娟比梁思敬大了八歲！」太太比先生大了八歲，這當然是值得她驚奇的說給我們聽的。所以我說：「眞的！」敏姨說：「哦！」

這當然是不平凡的一對了，他們的婚姻能成爲故事講給外人聽，大概也就是因爲年齡的關係吧。但是敏姨在驚奇之後，又復歸於平靜，她說：「大八歲，倒也算不了什麼。」當然，拿媽和爸相差二十歲來比，還是小巫見大巫呢！

張女士接著說：「梁思敬並沒有在國內讀大學，據說他是一個不幸的孤兒，中學畢業後，便被介紹到何家的公司裡做事，是靜娟的父親和家人非常賞識的年輕人……」

我猜想，婚姻的關鍵一定就在這裡了。果然——

「……何家的老太爺，看中了這位不愛講話的青年，提拔他，而且選他做女婿。按說，應當做給三小姐的年歲才合適，但是卻落到大了八歲的大小姐身上。」

「那時這位大小姐願意嗎？」敏姨問。

「大小姐已經二十八歲了，梁思敬才二十歲。這我也是聽別人講的，梁思敬在恩威並施之下，也不能不答應，所以結果才有了晶晶這孩子……」

張女士講到這兒，索性坐起來了，爲的是講故事的人和聽故事的人，都喜歡面對著的習慣，這樣，她就可以看著我和敏姨的臉講了。

「當晶晶這孩子出現以後，何家的親友，誰不罵梁思敬忘恩負義呢！但是我卻認爲這是年齡差別下產生的結果。」

「你別賣關子了，晶晶這孩子到底是怎麼出現的？」敏姨聽故事聽得發脾氣了，我的心卻突突地跳著，我不忍聽到那忘恩負義的意義，它到底指的是什麼？一個肯努力的二十歲男孩子，祇爲了報知遇之恩而屈服於二十八歲的老大姐的裙裾下！像敏姨的弟弟，我祇比他大三歲，已經覺得他是個小弟弟了，何況差了八歲，又何況是梁太太那種典型的女性呢！

張女士笑了，她問我：「關於晶晶——你總知道她是怎麼回事兒吧？」

這回我可眞的是不知道了，所以我仍是搖搖頭，並且略感驚奇地回答說：「我不知道！」

「眞不知道？」她不相信的樣子。

「確是一無所知。」

「我這樣說下去吧——當我們做鄰居約有一年的樣子，忽然，何靜娟匆匆地到日本去了，過了一個多月回來以後，她的懷中卻多了一個濃眉大眼的女嬰。眞有意思，我鎭日教書，沒有注意到她幾時走的，幾時回來的。有一天知道她回來了，偶然去看看，竟看見了這個孩子，我還像傻瓜似的問，是哪個阿姨的孩子呢？記得何靜娟那時很沉得住氣的笑笑說：從日本帶回來的，好看吧！我莫名其妙是怎麼回事，回來才聽我家娘姨說，是何家姑爺跟東洋姑娘生的。」

「眞的？」我也不禁插嘴了。

「所以，到現在我也鬧不清到底是誰生的，反正不是何靜娟生的就是了。因爲後來又聽說是何靜娟在別處抱養來的，故意扯到日本去，以混亂別人的耳目。」

「爲什麼要這樣做呢？」敏姨問。

「原來何靜娟是不能生育的，但我猜想仍是何家姑爺和日本女人生的，一定何靜娟到日本去打散他們，並且花筆錢把丈夫的骨血抱養回來，反正自己也沒有孩子，這個說法是比較可靠的吧！」

張女士講到這裡停止了。我聽了這眞實的故事，說不出是什麼滋味，祇覺得那沉默無言的依從者梁思敬，是有他的不可告人、深埋在心底的祕密。但是晶晶呢？她可知道一點關於她自己的故事嗎？她的濃重的毛髮和眼睛，確是有日本女性的樣子，不過這些地方也很像她父親就是了。

張女士又說：「梁思敬這傢伙，不怪人家說他陰，我跟他沒說上過三句話，悶不哼聲的人，反而花樣多呢！」

她這樣批評梁思敬嗎？我聽了竟好像被人猜透了什麼祕密似的，臉發燒了。這時又聽她說：

「敏珩，無論如何，這位何小姐，是有一種中國女性傳統的德性，你說是不是？她雖然以一種門戶的權勢控制了她的丈夫，但是她還是收拾丈夫和別的女人的殘局。她疼愛晶晶，視如己出，沒有半點妒嫉的心理，這是每個女人能做到的嗎？

所以梁思敬也就服服貼貼的了。聽說他們雖然到台灣來，但是梁思敬的事業仍是以何家的人事關係爲背景呢！」

於是張女士和敏姨由此大談起天下男人皆是負心漢的哲學來了，結論是女人終歸是不幸的！

不知爲什麼，關於晶晶家祕密的揭發，竟不能使我和她們一樣站在女人的這一面，啊！我眞是個沒出息的女孩子！想到我和他，同樣的身體裡流著孤兒的血，就使我越想接近他。

她們又談了，張女士說，中國人雖然不講公德，但是卻很注重私德呢！比如一個男人在外面又搞了一個家，但他絕不會遺棄髮妻……

對於這幾句話，敏姨倒是不接腔了。我知道，她很快地想到媽媽，礙於我在面前，所以不便發表意見。

還有就是賢德的中國女人，總是把丈夫和另一個女人生的孩子視如己出的養育著，梁太太就是最好的有關「私德」的例子。

我不太懂這些道德，我說不出我對她們的意見是贊成抑或反對，她們話的反面的意思也就是說，外國人是講公德而不講私德嘍，所以他們那些國度的離婚案件比我們多多了，我們的不幸的婚姻是被私德給支持住了，不是這道理嗎？

她們在暢談，我悄悄地從床上起來，整理我的衣裙和頭髮，然後說：「敏姨，我回去了。」

敏姨說：「留了你一天，也該回去了。」

我也向張女士鞠躬道聲再見。感謝你，無意中告訴了我晶晶的一切，但願今天我不再爲這些事鬧得失眠吧！

黃昏的街道，晚風輕拂著，騎在車上涼爽極了。到了水源路，我被川端橋西的夕陽迷住了，下了車，慢慢地推著，直向那紅透半個天的方向走去。我把車停在橋畔，走上橋去，看水中蕩漾著金色的粼波。

我倚著橋欄杆，心隨波逐流，心中亂烘烘的，不知道想什麼，輕波中時時顯出不同的面孔，而最使我迷茫而傾心的，是不多話的，有著深邃的眼神的那個。

我無力的想了一陣，返轉身來，懶洋洋地推起了車子回家。夕陽更沉落了，丟在我的後面。

八

坐在梁家的書室中，我展讀文淵的來信，是剛才臨出門時在信箱中拿到的，沒來得及看，就帶到梁家來，乘著晶晶在做答題，我才想起從裙袋中掏出來。

這幾頁航空信紙又是報告他每天的行蹤，竟沒有一句思念我的話，他是膽怯到不敢寫出來，還是已經拿我當妹妹看待了？總是教我孝順母親啦，保重身體啦，他選的某門功課有得A的希望啦，難得他竟也去看了一場電影，表示了他的意見：

……被譯成《一笑緣》的電影，早在台北上映過，你大概已經看過了吧？我倒是昨天才有機會看的，在國內那樣被人讚賞的原著和影片，正好在這小城的一家電影院上映，我偶然路過影院，不知怎麼一陣心血來潮，就買票進場了（這裡的影院是隨時出入不分場的）。看完全片後，我有說不出的厭惡！我不知道國人何以對這部著作和影片那樣著迷？想一想，一個純潔美麗的少女，已經有了愛人，又被一個長輩的中年男子玩弄夠了，而那原來的少年竟還把這失身的少女收了回去，這就是這部作品的迷人之處嗎？真是噁心之至，這也就是在他們法國，我這中國人是太看不慣了……

這部影片，我得從頭想想，不是文淵提起，我還眞想不起來呢！是的，女主角很美，甜蜜的笑容，嫵媚的雙眼皮，但我更喜歡飾演舅母的瓊芳登，幽怨不形於外，仍是那麼愛護著搶去丈夫的少女，多麼深沉。

我發呆似地想著，把文淵的信摺疊起來。文淵眞是，看一場電影，何必爲書中人叫不平，動那麼大氣？管它誰被誰玩弄了呢！對了，文淵一向就有嫉惡如仇的固執，這又是在表現他那性格吧！倒是自從聽張女士談到晶晶，我每次來總要默默地琢磨一陣子，我想我的敏感是不無道理的，當初見了他們三個人以後，我不是就有一種懷疑的心情嗎？雖然那時我也說不出我懷疑的是什麼。

這時晶晶做好功課了，我們開始吃課後的晚點，千層糕和紅豆湯。晶晶低頭吃的時候說：「我爸爸最愛吃這個。」

「哦。」我滿不在意的答應著。

今天他又沒有回來。自從和他在曼莉見面後，已經三天了，我一直沒有再見到他。聽說他的應酬很多，又常出差，是公司裡的紅人。我也許很傻，以爲他很注意我，其實，他正是一個專心致力事業的男人，偶然好玩替一個女孩子代收一封信就是了，更何況他曾有過那樣不平凡的遭遇，我又算得了什麼呢？我還是專心教晶晶吧，而且也應當給文淵不斷地寫信，設法增進我們的感情，不才是最正經的事情嗎？

我今天不要跟晶晶母女閒談了，所以吃完點心，就準備回家，記得家裡有一本《一笑緣》的譯本，早早上床讀小說爲是。

四月的台北，也許是一年中最舒服的日子了，靜靜郊區的晚上，小溪漲了，流水潺潺，可以聽見那輕妙的聲音，不由得我駐足望望它，想找出那聲音的來源。是流水拍擊到石頭上了？還是穿過了什麼空隙？所以才產生了這種輕妙的樂聲？

走這條路差不多有四個月了，它變成我生活的一部分。每天，我踏著黃昏的末梢來，又趕著深夜前的腳步回去。就在我站著的這塊地方，原來是有一盞路燈的，自從上次來颱風的那夜毀掉後，到現在也沒有再安裝上，而且它正在快要轉彎的地方，對於行人非常不便。

這時我聽見有人走路的聲音了，我不應當站在這裡，會使走過來的人懷疑我的行爲，於是我也轉身回到巷中間向前走。

「哦！」對面來的人輕喊了一聲，我發現他竟是晶晶的爸爸，心中有說不出的喜悅，我也「哦」了一聲。

他站住了，那種姿勢就是等著我走過去。我說：「剛回來？」

他說：「我剛從中部回來。」

他一定走熱了，西服上身拿在手裡，在黑暗裡別的看不清，只有襯衫的白色反照著，還有注視著我的眼神。他既然從外面回來，手裡卻沒有提包之類的行李，我不由笑說：

「你旅行眞簡單，一件行李都不帶嗎？」

「我是下午回來的，在台北開會吃飯，行李交派交通車的司機帶回來了。」

我走著，他並不和我告別，也一路隨我走下來。

我的兩手插在裙子的口袋裡，摸撫著裡面那封文淵的信。我剛才在梁家看信的時候想什麼來著？不是決心要給文淵多寫幾封信以促進我們的感情嗎？現在呢？是不是又要推翻了？

他沒話找話地問我：「近來沒再寫文章嗎？」

「我那能算文章嗎？」

「但是我等著你再請客呢！」

「可是你還沒還請我呀！」

「我是要請你的，你定個時間好了。」

「隨便。」

「好，隨便。」他笑著說。我才悟出原來我又說隨便了。

他想了一下說：「翠鳳音樂很好，不知道你喜歡不喜歡？」

「我很少進音樂咖啡館，情形並不熟。」我說的是實話，除了和美惠、李新、文淵他們去過一、兩次以外，我沒有男朋友，總走不到這種地方的。

誰知他竟說：「你很喜歡音樂，我以爲你總會和男朋友常去的。」

「但是我沒有男朋友呢。」

「眞的嗎？」他斜低下頭來直看著我的臉笑著問，那樣子就好像是一個淘氣的大哥哥不信任小妹妹似的。

我笑笑沒有回答，隨他猜疑好了。

我們走出巷口，他還沒有意思回去，我也隨他這樣陪我。

過了橋，我們又順著水源路走，堤下人家燈光點點。天氣熱起來了，睡覺的時間也晚了，想到我初去梁家的時候，每天回來都是一片漆黑，家家都入夢了，祇有母親亮著燈等我。

我們走到要下堤岸的石階口處，不由得都站住了，向著河中望去。

「要不要下去走走？」他輕輕地問我。沒等我回答，他已經先一步走下石階，我也隨著下來了。

河水這時是湍急地滾滾而下，好像去追趕什麼，並不像我剛才走過的小溪那樣有著輕音樂般的情趣，我不由得說：

「這條河水常常有兩種面孔。」

「怎樣的兩種？」他問。

「我白天去你家的時候，它被夕陽照得那樣柔美，使你感覺，如果躺在那金色的水面上，隨它輕輕地蕩漾著，把你載到天邊或海角，是多麼舒服！可是等我夜晚從你家出來時，它的黃金時代已經過去了，現在是一股黑暗的惡流，凶狠地翻滾著，使你覺得，如果一失足掉下去，它要把你捲入浪濤中，是多麼可怕！所以我要趕快回家。」

「你想得太多了，才使你這樣瘦弱。」

「當人接觸到某一種環境，總不免要想一想的吧，你不想嗎？」

「想，當然想，哲學家早就談過，人是思想的蘆葦。先思想，後行動。不過當他思想了很久以後的行動，也往往和沒思想以前一樣。」

「那就是說白想了一陣子？」

「不是嗎？這就是平常所說的，理智鬥不過情感，它仍然沒按照所思想的去行動。」

「是的。」我望著水面輕輕地點頭答應他。

過了一會兒。他又說：

「所以，人總是在情感與理智中掙扎。每個人每天都逃不過這種掙扎，無論什麼，小至搭車子、買菜，這些小小的事情。」

——那就是說，我們每個人的心理都不能與眼前的社會、環境所定下的習俗符合，我們總是想反抗它，總是有犯罪的心理……

這是我心裡的話，並沒有說出來，他是不是也有這種心理呢？

這時還不是最熱的季節，所以這一帶乘涼的茶館雖然開幕了，但是這樣晚，並沒有乘涼的客人，茶館早已收拾，祇有一、兩個人在走動，用懷疑的眼光看著我們爲何徘徊河邊。爲了不要被人疑心到壞的方面去，我們應當表現得快樂一點才是，那樣就像一對快樂的情侶，在河邊談情了。

這樣想，我心情竟激動起來，快樂的情侶，實在應當默默的漫步著，把喜悅的情緒埋在心底才對。比如我和文淵，就因爲不是兩相情願的一對，所以我和他的談笑是明朗的，不怕被美惠、媽媽、李新、任何人聽到。不怕人聽到的情侶，還有什麼意思呢？

我和思敬——身邊的這個男人，不應當談笑風生，我們還是要保持著輕語的情緒。

順著岸邊下去，走了不少路，前面沒有房子，畢竟覺得很空曠，我們又轉回頭來走。夜的涼意深，摸摸自己的胳臂是冰冷的。我們走的路比說的話多，這樣已經很夠了。

我們又從石階走上來。他如果回家，應當和我走相反的方向，但是他並不。我說：

「你還要走嗎？」

「晚飯吃得很不舒服，多走一走也好。」

「吃了什麼山珍海味？」我向他開玩笑。

「吃的是業務、發展、計畫、意見，種種難消化的東西。」

「誰讓你學的是工商管理、經營經濟學來著！」

「誰告訴你的？」他立定了，略感驚疑而又淘氣的望著我說。

「我嘛！」我笑笑沒有說，我祇是從他的那個書櫥裡看到的書本名字罷了！我哪知道他是學什麼的，也不管他是學什麼的。

「我一想到我今天所學所做的，就奇怪我怎麼能夠這樣？二十年前，即使十五年前，我也沒想到我會走上這條路，就像我們剛才說的，環境常常改變人的生活。」

「那你原來打算學什麼，做什麼呢？」

「我曾經是一個熱愛美術的孩子，當我以孩子般的心情夢想著成爲一個藝術家時，我一文不名，用小朋友的蠟筆燒化了，塗在一張牛皮紙上，當做油畫。」

「那燒起來還不臭死了！」我不由得用手摸了一下鼻子，「有志者事竟成，你現在應當有油畫顏料錢了！」

「但是那股熱情沒有了，比沒錢還糟！」

「所以轉入了工商界？」我這樣問他，是由於張女士講過的他那段歷史。

他竟沒有回答我的話，腳下輕輕踢起一塊小石子，它飛跳一下，滾入堤下的蔓草中去了。

「那實在是一種錯誤，是不是？」他抬頭問我，我們又在漸漸向前走了，似乎我們的話題，也漸漸轉入到透露心事這方面。

「那也不見得，人總是吃一行怨一行，如果你眞的學了畫，賣不出去，住在小閣樓上，有上頓沒下頓，在現實的生活中，豈不更慘！你一定又會怨恨的說，悔不當年學織布了！」

「你倒是很現實的。」他笑了。

「不是嗎？」我噘起嘴反問他，「即使你能成爲名畫家，在中山堂每年開一回畫展，請客拜託，在你的畫上貼上了幾層『重訂』的紅紙條，那照我看起來，還不如業務、發展、計畫、意見更有價值呢！」

「也許是。但我指的不是這方面，那也許就不是你所能了解的了。」

我對他的了解的確並不多。我喜愛他的沉默，張女士卻說他很陰；我對他有說不出的同情，張女士卻說他是忘恩負義的人。我對他的看法，是要憑我自己的感覺，還是應當聽取別人的意見呢？

他陪著我走向回家的路，我不願意再讓母親聽見我們的話別聲，所以我說：

「你回去吧，了解你的人已經做好了千層糕和紅豆湯等你呢！」

誰知他竟拉起我的手，緊緊的捏了一下，輕輕地說：

「爲什麼要說這樣的話？」

他的聲調有點怨我似的。

我突然也有了悔意，他是誠意的和我談著，漫步著，陪伴我獨歸的寂寞，我爲什麼和他開這樣的玩笑，彷彿我不信任他，還要試探一下，這樣就顯得我更不了解他了。我爲什麼這樣？爲什麼？爲什麼？我眞是後悔了。

我不知道應當對他怎樣表示歉意，或怎樣開口再說什麼，祇好沉默下來，隨他攜著我的手，輕輕地搖甩著。他的手是熱的，使我纖弱的細指在他的掌握中，有說不出的溫暖，那股熱流直浸到我的心底，我心中獨語著：

——如果你的沉默是表示你生活的空虛和不愉快，我願以我的同情來塡補它，我要逗著你快樂，因爲我倆在冥冥中是有些相同的地方，所以我們才在無形中接近了啊！

走進了巷口，他停住了，說：

「你走吧，我在這裡看著你回家去。明天我們還是上午到翠鳳去，九點鐘。再見。」

雖然說了再見，他仍緊緊地握著我的手，我簡直是從他的掌握中掙脫出似的離開他，小碎步跑回去，我不知道我爲什麼要跑，實在是迷亂了。

我倚靠在門邊，沒有即刻掏門鑰，把被他握過的手，捂著我的嘴，用另一隻手壓住它，怕它跑了，這時我的心才突突地跳起來。

拉琪已經在院子裡走動了，我急忙拿出鑰匙來開門，身上微微地出了汗，是緊張的緣故吧，剛才在河邊還是冰冷的兩條胳臂呢！

還好母親已經入睡了，臥室沒有燈亮。我進屋看看腕錶，已經十一點過了，我豈不太荒唐，母親如果問起來怎麼說？

我進屋便把自己扔在沙發上，褪掉鞋子，光腳踏在地板上，我仰起頭，兩手背在頭後，望著天花板。有一絲快意的泉流在血液裡環行，我彷彿聽見一陣流水輕輕地拍擊小石子的聲音，那是剛才在小溪旁的情景，祇那麼一會兒的時間，從寂寞的佇立，變成偎依的漫步了。

我閉上眼睛，再回憶我們怎樣地走，怎樣地談，我怎樣唐突地開他玩笑。以後再也不了，他給了我怎樣的快樂，我就應當怎樣的回報他，我們是同命鳥！不是嗎？他是一個孤兒，我的外祖父也是孤兒，我自己也幾乎是，我們同流著孤兒的血。

這樣又不知過了好久，母親在裡屋說話了：

「怎麼還不睡？幾點了？」

「嗯。」我漫應著，沒有再看錶。

九

拉琪眞是討厭的東西！牠現在也不甘寂寞了，總是在家中沒有人的時候要跟著我。我騎上車子又跳下來趕牠，趕回去幾次都沒有用，因爲牠的小身體從水溝洞裡又鑽出來，除非把牠用皮帶鎖在家裡；但是牠也要狂吠不止，會把鄰居都吵得瞪眼，我也祇好隨牠追在車子後面了。

在清靜平坦的大道上，我飛火輪般的奔馳一陣子，回頭看看，拉琪也追得張著嘴要飛起來了，我就這樣懲罰牠！

到翠鳳下了車，我已經熱得滿臉冒煙兒了，拉琪也吐著舌頭喘氣，我終於不忍，抱著牠進了翠鳳。

我的馬尾巴紮了一條綠色的紗，也給拉琪的脖子紮了一條，所以我一進去，帳櫃上的那位小姐，就衝著我們倆笑了。

我向座位上看去，他還沒有到，我便找了個座位坐下，看看錶還不到九點，是騎了飛火輪的關係。這家並不像曼莉，他們是不賣早點的，以聽音樂爲主，所以早晨的客人少，現在有的桌椅還沒有擺好。

我輕聲告訴拉琪說：「別鬧，安靜的坐在這裡！」牠眨眨眼，果然不敢動了，坐在我的身邊，像一位黑公主那麼莊重。

當十五分鐘後思敬坐在我的對面時，他首先向我道歉說，沒想到早上剛一去辦公室就有事，所以來遲了，普通這時候，有些同仁還在餐廳吃遲到的早點呢。隨後他才看見拉琪，拉琪一動也不動，一聲也不哼，衹斜起頭看他。他看拉琪這副呆樣不由得伸手要和牠拉一拉，拉琪居然抬起一隻前腳來。

「牠常這麼跟著你？」

「是的，我的監護人，說話要小心！」

要了一杯咖啡以後，曼妙的音樂開始了，是專爲我們兩個人開的，衹是一段輕音樂，整套的交響樂什麼的，要在下午才開始。

「公司要選一個人派到日本去，這些日子正在醞釀這個問題。」他說完看了看拉琪。

我故意用手蓋起拉琪的耳朵，笑笑說：「已經被聽見了！」隨後又說，「那麼你豈不是最合適的人選？」

「怎樣見得呢？」

「因爲那是你的舊遊之地。」我脫口而出，才想起這句話不見得妥當，果然，他懷疑的直看著我說：

「舊遊之地？你怎麼會——」

「聽說你不是到日本留過學嗎？」我雖然趕緊掩飾過去，腦子裡卻立刻泛起了晶晶的影子。

「對於日本，你有什麼意見？」

「曾經是我們的敵人，可愛的東西卻不少，傘、女人、扇子等等。」這回我說話自信很有技巧了，因爲我把「女人」夾雜在許多物品中，這樣就不顯得我是特別提到女人了。

「初到日本去的心情，也當然是懷著敵意的；但是看見他們的人民在戰後那樣努力收拾家園，處處都不免讓人興起這個國家有再站起來的感覺。」

「後來呢？」我聽了他似乎沒說完的話，不由得這樣問。同時我的腦子裡又浮起了一幅景象：在戰後的瓦礫堆中，坐著一位美麗的大眼的姑娘，她不知道被炸成粉碎的家園，應從何收拾起，這時卻走來了一位年輕而富同情心的異國青年……我這樣問，是想他會向我傾吐一段祕密——我已經知其梗概的祕密。但是，他的手指正在桌面上，用咖啡裡濺出來的水，輕畫著圓圈圈，並且呆呆地望著它，一定是在回憶那段故事。

「嗯？」他似警醒的沒聽見我問的話。

「那麼公司已經選上你了嗎？」既然沒聽見，我就改了一句問話。

「沒有，活動的人多得很，這年頭誰都急著向外跑。」

「那麼你並不想重臨舊遊之地嗎？那裡也許有許多可以使你懷舊的事物吧！」

「那當然，十二年前的日本，民不聊生，東京是一幅什麼景象！現在再去東京看看，對於我個人能不有感慨嗎？」他說完抬起頭來望著我，似是在問我。

——我怎麼能知道你有什麼感慨呢？我的兩手正架在桌上支著我的下巴，望著他的臉我微微地笑著，我的樣子一定像是「早知道你的祕密了！」

「我在初去時還可以嗅到戰爭的餘息，東京的殘垣斷瓦、房東的老婆婆、美國的佔領軍、街頭流離的兒童，在在都不能令人忘懷。」

更令人難以忘懷的，恐怕還是房東老婆婆的女兒吧？我聽說留學生最容易和房東女兒戀愛，所以我這樣的猜疑，因爲他提到了房東老婆婆。但是我不好瞎問，祇說：

「這樣，你應當活動去日本的這個機會呀！」

他搖搖頭，不知道什麼意思，是不願意活動，還是不可能成功呢？

「晶晶似乎對於日本很有興趣，」我說出又怕太猛浪，便又接著說，「她對我說過你還想帶她到日本學跳舞呢。」

「那是隨便說著玩的，當她熱心學習舞蹈的時候。她很認眞了嗎？」

「是的，她還說爸爸想要讓她去日本，媽媽卻不肯呢。」

「那是可能的。」他點點頭說。

「可能帶她去嗎？」

「不是，我是說可能她媽媽不肯的。」

「有什麼不肯的呢？她可以去，也應當去呀？」

我的話是不是很露骨了，他聽了後問我：

「晶晶還跟你講過什麼嗎？」

「沒有。」我假做驚疑，「關於到日本我們祇講過這麼兩句話，好像還是前幾個月看芭蕾舞才提起的。」

「晶晶和日本也很有點緣分呢！」他微笑著說這句話，雖然它不大明確，但含蓄很深。

他的笑容這樣年輕，刮得光亮的臉青幫幫的，帶著孩子般的稚氣，無論如何，我想不透他怎能和晶晶的媽媽擺在一起，那就難怪他有了東京姑娘那段祕密了。

我們從去日本談到晶晶，已經談離了題，這時他又轉回了本題：

「如果是短期的，我也許可能去。但這次並不是太短的，起碼總要派在那裡兩、三年，就不是簡單的了——晶晶的媽媽不喜歡日本。」

「這倒是很難得的，許多太太們都希望丈夫有出國的機會，也可以跟了去開開眼界，梁太太卻例外。」

「當然她有不喜歡的理由。」

「是的，那樣連帶晶晶也失去了機會。」我好像很乖巧，不再多問什麼。

他難得的點起了一支菸，然後把身子後仰靠在椅背上，兩手卻伸在桌子上玩打火機。我仍然伏在桌上，正看見他的手，手掌是寬大的，每個手指節上都有濃重的汗毛，我曾被這樣的手握過。他向後仰靠的身體，應當正好看到我低垂的眼神，想著我正在被他注視，竟不敢抬起頭，衹好一直望著他的手。他停止不玩弄打火機了，我伸手過去拿它，原是無所謂的舉動，但是他竟把手掌壓在我的手背上說：

「像魚肝油這類的東西，從來不吃嗎？」

「吃夠了，整整吃了一年。」

我這回抬起頭來，他正望著我的臉。我知道，早晨我的臉、我的嘴唇是多麼蒼白，我不由得用牙齒使勁咬住下嘴唇，希望它充血！嘴唇不是血最多的地方嗎？爲什麼衹有我不？

「身體好是一切的本錢。」他摸撫著我的手背說。

我眞後悔，爲什麼不聽母親的話，嘴上時常搽些口紅呢？不過我想起敏姨講的話來了，她說過：曉雲還是不宜於搽口紅穿旗袍的，那樣一打扮就不對碴兒！敏姨的話一點兒也不錯。可是他爲什麼一次、兩次的提到我的體弱呢？而且那樣的心疼我。

「我雖然瘦弱，身體還沒你想像的那樣壞，因爲我不化妝。」如果以我近來的健康情形說的話，確是這樣。

「那就好，保持你原有的天然美。」

他又拍點著我的手，像對他的晶晶一樣——當然，像對待晶晶般地對待我，已經夠使我感激的了。

他偷偷地望著腕錶，一定是不好意思講走的話，在一段圓舞曲放完後，我就先提議走了。

我們起身並肩站著，我靠他這樣近。我扶在桌邊抬起頭來直望著他的臉，我實在忍不住要這樣，不管他是拿我當成小妹妹還是大女兒，不管我是不是應當這樣做。他一定知道我在看他，但是他不理會我，祇管向皮夾中去數錢付賬。他是不是怕我逼視的眼光呢？我眞是個壞女孩！

擦身走過屋裡擺著的盆栽棕櫚樹，葉子劃了我的臉和臂，他趕快摸撫了我一下被劃過的手臂。

「你又是騎車來的？」

「嗯。」

「騎車的生活對於我已經很陌生了。」

「但是我看見你家裡擺著一輛自行車，不是你的嗎？」

「是我的，擺在那裡很久了。幾時要拿出來擦擦油呢，和你到哪兒兜兜風去。」

「歡迎。」我是巴不得有這樣的機會。

拉琪跟在我的腳後出來了，牠嗅著他的鞋和褲腳，左聞右聞的，當我和他分手時，拉琪竟跟著他走去了，我不得不生起氣把拉琪喊回來。

「祇因爲你跟牠握過手，所以牠就受寵若驚了！」

我對他這樣說了以後，忽然想到我自己也是一樣，眞是不好意思極了。

這時的柏油馬路上，已被陽光鋪滿，我簡直不敢投入這陽光普照中，怕曬昏了頭。和他分手後便推著車子沿人行道慢慢走，看櫥窗，想心事。拉琪，我把牠放在車前的鐵絲籃中，小黑頭露出籃外，兩隻狗眼兒骨碌骨碌地四張八望，得意非凡。

我順著馬路這樣走下去，毫無目的，轉了一個彎，再轉一個彎，竟發現是走向學校來了。是母親工作的學校，也是我讀書畢業的學校。門前清靜得很，正是在上課的時間。

我想順路進去看看母親也好，很多時沒來這裡了。校門裡的兩排矮松剪得整整齊齊的，直通到大樓，樓上有一班學生大概老師還沒到，三五個女同學靜靜地倚著窗口向我看，白色的制服，藍色的繡字，短而直的髮型，離開這樣的學生時代遠去了！

我把車推到傳達室後面的存車處，看車的老方不認得我了，一點兒也不認得我，竟視若無睹地把木牌遞給我，我還想跟他笑呢，因為我們曾是淘氣的一群，有時捉弄捉弄他，常被他罵的。我的樣子改變了很多嗎？對了，頭髮、衣飾、蒼白削瘦的臉蛋兒！我對老方說，小狗兒就放在籃裡不礙事，牠很乖。老方剛要張口說什麼，大概想不允許我，但是我立刻說，我是要找媽媽孫曼雲先生的，他驚異地仔細看著我的臉，這回他大概認識了我，才點頭答應了。

我穿的是黑白小格子的襯衫和棕色的肥裙，頭上雖然繫著綠色的紗帶，但是我以為這樣的顏色配得很調和而有趣。樓上的學妹們在指點我了，我的肥裙被微風一吹，蓬揚起來。我步伐輕鬆地走向媽媽的辦公室去。

我向全辦公室的人鞠躬招呼，因為她們淨是我的老師和母親的同事，在這裡，我是小小女孩了！母親很驚奇於我的出現，她說：
「你是到醫院去了，還是沒去？」
「嗯？」我不明白母親說的是什麼，今天是我到防治中心例行檢查的日子嗎？
母親見我驚異，她又問我：
「李新來過家裡了吧？」
「沒有——啊，不過，我很早就出來了。」
「你到哪兒去了？」母親隨便的問。
「帶拉琪逛逛街。」
「美惠要動手術了。」母親的臉上出現了憂鬱。
「怎麼？」
「她因爲兩次子宮外妊娠，醫生要給她動大手術，免得以後危險。」
「噢！」我實在還是不太懂這種病的重要性。「那麼——」我不知應該怎麼說。
「那麼，」母親也猶豫的想了想，「李新剛來學校找我，他是要到家裡拿些住院的日用品，暖壺臉盆什麼的。你趕快回去好了。如果李新已經走了，你就給送到台大醫院，要不，還是等我回去再說吧，下午再送去也不遲。」

我祇好馬上走了，來得這樣巧，要找母親玩玩，竟碰上美惠動手術的消息。究竟這是一種什麼了不起的病，我也鬧不清，雖然病名聽說過。想不到的是，美惠一向健康的身體，如今躺在病床上，我就想像不出她的樣子了。

轉身出來時，媽媽的同事都說我胖了些，並且更漂亮了，是眞的嗎？但是磅秤上的證明，連長上半磅都難得很呢！

我騎上車以最快速度奔馳，祇要不到一刻鐘就可以到家了。

我開門進去，洗衣服阿婆正在院中曬衣服，她每天都是先替隔壁洗衣，然後再從通隔壁的小門進來，這樣就不管我們在家不在家了。阿婆看見我，向著屋裡說：

「小姐買菜回來啦！這裡有客人。」

我猜想是李新，果然他從屋裡迎出來。李新也不像往日那麼見了我就要開玩笑的，他一臉嚴重的表情，我趕忙迎上去說：

「我剛到學校去，聽媽媽講了。」

李新搖搖頭歎息著，簡直要哭出來了，我也不會講什麼安慰他的話，我對這病一無所知，難道比我的頑固的病還不幸嗎？我祇好說：

「你要帶什麼東西去？」

我幫他拿了他所要的東西，用提籃裝好。他要去時，我對他說：等下媽媽回來，我們吃過飯就去醫院，好在動手術是下午四、五點的事。李新說：

「你們要早些去，多安慰安慰美惠，她很傷心，也很激動。」

我送李新走後，不禁想，健康與不健康的差別是很大的，說美惠很傷心，我想不出她傷心的樣子。是不是她從此以後也會變得像我一樣了呢？不會的，不會的，她動了手術痊癒後就恢復健康了，不會像我的毛病，這樣纏綿的圍繞著我！啊，人生是多麼可貴，我應當怎樣把握住它的實際的一面啊！

廚房的紗櫥裡，還有昨天剩下的肉醬，請阿婆替我們買些麵條，隨便煮煮吃算了。

媽媽也回來了，她輕步走進街門，站在那株名貴的白茶花前面，這兩天它開了一朵，綽約多姿，母親一天總要對它發上幾回呆。媽今天穿著深藍色的綢旗袍，配著白茶花，淡雅得難受，我眞想摘一朵紅花插在她的衣襟上，調和調和。

媽媽進屋後也很傷感地對我說：

「這對美惠他們夫妻倆，眞是一個嚴重的打擊。」

「爲什麼？手術不是很安全嗎？」

「你不懂，她動了手術後就不能生育了。」媽皺起眉頭說。

「啊！」我才明白，這對於喜愛孩子的美惠，確實是一個打擊，我一下就想起她跟我說過，希望一口氣要生三個孩子的神氣了。

我們吃過午飯，媽媽又仔細地準備了一下，因爲她說今晚要陪伴美惠住在醫院裡，李新到底是個男人，又年輕沒有經驗，在這種情形下，媽媽倒成了美惠最親切的人了。

媽媽問我要不要午睡一下，她先去醫院也可以，但是我不，我想美惠一樣需要我的安慰不是嗎？而且自她結婚後到新竹，我們也有幾個月不見面了。

進了醫院，立刻聞到一股熟悉的氣味，我曾經寂寞地躺在醫院裡療養過一個時期，每天聞著消毒水的味道，盼著美惠、媽媽的來臨。看天花板上的浸水畫，看花瓶裡萎縮的玫瑰，看白色床單裡裹著平平扁扁的自己的身體，……那個滋味我嘗夠了，現在又輪到了美惠。

下午的醫院沒有門診，清靜多了，我和媽媽的皮鞋打在磨石地上，清脆可聽。走過長甬道的第三排，我們數到美惠的房間，門虛掩著，推門進去，美惠是在最裡面的床位。

李新正握著美惠的手，在親密地安慰著她吧？美惠躺在那裡，眼睛紅腫著。見到我們去，李新放開她的手，媽媽向床頭走去。

「美惠！」媽媽叫了一聲，拉起她的手，美惠微笑了一下，但還沒有一秒鐘呢，她就雙手摟著媽媽哭起來了。雖然媽媽摸撫著美惠的肩背，不住地勸慰她：「別哭，美惠！別哭，美惠！」但是媽自己的眼眶也濕潤了。

這時李新走出病房去了，我雖然心裡也爲美惠和李新難過，因爲他們是如此地喜歡小孩；但是，我是沒有眼淚的人，許多次別人流淚的場合，我都保持可怕的冷靜，我眞找不出這種態度的根源。

當美惠和媽媽的擁抱脫開時，我也過去和美惠拉手，我不會安慰她什麼話，因爲我不懂這些病症。美惠剛停止的眼淚又湧出來了。我們倆彼此默默相對，都沒講什麼，但是我相信我們的心中都在說話，我在回憶她笑靨迎人跟我講過的那少女初婚前的心情，她也是在回憶這些嗎？

眼淚順著眼角流到枕頭上去了，媽媽用手絹替她擦抹著，並且說：「美惠，鎭靜下來，才能有一個順利的手術。」

但是美惠聽了反而又嚎啕大哭了，媽媽趕快安慰她說：「不要害怕，手術絕對安全，醫院裡一天不知要動多少大手術呢！你這不過是一種很普通的大手術而已。」

美惠聽了卻一面流淚一面用力搖著頭，「我不是怕動手術！可是——可是……我怎麼能讓李新做一個永遠沒有孩子的父親……」美惠哭泣著說，忍不住用手掌捂住她自己的臉。

媽媽聽了當然也呆住了。原來她心情的悲痛是爲了這主要的原因！但停了一下，母親就打開美惠的手臂，整理著她的亂髮說：

「美惠，你放心，將來曉雲結婚生了第一個孩子，我答應一定先給你做孩子！」

呀呀！媽媽你怎麼說這樣的話！我結婚、生孩子那還不知道是什麼時候的事情，你在情感激動下的諾言，也未免太不著邊際了——我心裡這樣責備媽媽，臉發燒了！

是這句話眞的給了美惠安慰，還是她的悲痛已經發洩得差不多了？美惠漸漸地停止了哭泣，和母親在談論著罹症的經過。護士小姐也一趟一趟地進來，給她量這量那，注射和叮囑她一些事情，都由媽媽應答和招呼著，李新雖然也跟著進進出出的，但是他發慌得手足無措了。

在這時我倒彷彿成了個多餘的小孩子了，我既不能幫忙什麼事情，美惠的述說也並不以我爲對象，她是一心在講給媽媽聽。她說這一切都使她相信宿命，李新是過繼給他的叔叔做兒子的，因爲嬸母不能生育，但結果他這一房仍是沒有生命的延續，雖然李新沒有親人在台，但是美惠仍會覺得心中非常的慚愧，因爲無論如何，一個中國人，擺脫不了濃重的家族觀念。談到這裡，連美惠也神經兮兮地對我做著哀求的口吻：

「小魚兒，剛才媽媽答應我的話，希望你不要忘了，你的第一個孩子是要叫我媽媽的喲！」

這兩個人眞是想孩子想瘋了，這不是沒影兒的事嗎？讓我從何答允起？我苦笑了一下，轉過臉去看窗外，窗外是一片草坪，正被太陽映照著，再遠處正大興土木，據說是在建築最講究的嬰兒室，以後千千萬萬的嬰兒都要在這裡誕生，並且享受初生後的新廈，但不知美惠所要的那一個，是不是也會降生在那裡？想到這兒，我心裡倒好笑起來了。我趁著媽媽和美惠談不完，護士小姐正好進來，我這高個子堵在這裡也怪礙事的，便漫步走出病房外。

李新站在走廊下，他正向那建築物呆望著，但不知他是否知道那是蓋的嬰兒室？我和他這時雖然無話可說，也不應當告訴他這些吧！我祇是挨近他，倚在廊欄杆旁，談著些住院的瑣碎的事情。

這時護士小姐來叫李新進去，原來美惠要做進入手術屋的準備了，我看李新的前額上，汗都冒出來了，他比美惠還緊張呢！我知道他非常非常愛美惠，他對於美惠動手術比對於從此沒有子嗣更爲擔心，而美惠的心情卻剛剛相反。人眞是不能十全十美的，這一對快樂夫妻要從此更彼此體貼地走完這寂寞的一生了。想著這些，我竟也不禁傷感起來，我如眞的生了第一個孩子，豈不是眞的應當送給他們才合理嗎?母親對美惠的安慰是不錯的啊!

母親這時也從病房出來了，她叫我先回去，這裡這時沒有什麼好做的事情，美惠馬上就要送進手術室了。實在我知道母親是怕我待在這裡等候美惠動手術的經過，會刺激我的情感，我也許會害怕什麼的。

我進去向美惠道別，告訴她明天早晨再來看她，她慘笑地點點頭。母親又囑咐我一些瑣事，我便離開他們了。

出了醫院門，我深深地呼吸一下沒有藥味的清新的空氣。遠處警鈴聲響，開來了一輛白色的救護車，一定是個受傷的病人，我怕看那情景，別人圍攏了，我卻趕快跑開。

藍天如洗，彷彿一切都美好，其實不然，生生死死在這座大醫院裡，一天到晚都不斷地輪迴著。聖經一開頭就說了:「日光之下，並無新事!」古老的故事一直是循環上演下來的!

十

醫藥的進步，雖然不能挽救美惠的第二代生命的延續，但是卻使得她在大手術後很快速地日漸恢復，十天後就拆線出院了。她昨天被母親迎接到家裡來住。美惠的體力確是強健，這樣一次大手術，使她看起來雖然憔悴了些，但精神卻蠻好的。

在這裡住，可以得到母親的照料，休養些時。十天來李新在新竹、台北、醫院三處的奔波，也夠受的，現在他也可以先回新竹休息休息了。

今天是星期天，李新從新竹趕來了，他說休息了兩天，精神已好得多多，他不堪家中沒有美惠的那份寂寞。

母親今天也不用辦公，她到菜場去買豐富的菜，準備大家打打牙祭，她有幾樣拿手菜。

在這樣情形下，我是應當留在家裡的，但是我有個約會。

天氣從早晨就陰霾不晴，灰黯的天空，焦急的心情，真怪彆扭的！我穿上長袖紅色襯衫，上面是白色鈕釦，我最喜歡這一件。我把袖子捲到胳膊上去，後領微微地豎起。對鏡的時候，我抿下嘴唇心裡想：要不要擦點口紅？我沒有擦，但是隨手拿一管媽媽買給我的很講究的蜜絲佛陀口紅，放在襯衫胸前的小袋裡。

這時媽媽還沒有回來，李新也出去了，他是去看林教授，並且打算約他來家吃飯。

祇有我和斜倚在床邊的美惠在家了。

我的綠色跑車停在院子裡，我有點局促不安，漫步走到院子裡看天色。我兩手扶著車把，一腳踏在腳蹬子上，就像我平常要騎上車的那姿勢。我想著心事——怎麼樣的藉口才好出去？我手按著車鈴，鈴鈴地響。

美惠大概聽了車鈴聲以爲是門鈴，她跑到窗前來看。我的心一橫，忽然智從急起，回屋裡對美惠說：

「梁家的晶晶還等我陪她們騎車到圓通寺去玩呢！」

「他們？還有誰？」美惠隨便地問。

「她家裡的人。」

「都騎車去嗎？」

「她那些阿姨、舅舅，都會騎車，也許還有她的爸爸吧。」我挑起眉毛無所謂的樣子回答。

「那你就去吧！」

「放了我啦！那你呢？」

「我？」美惠笑了，「這裡人多著呢，不然，給我找本書看吧。」

「哪一類的？」

「近來愁悶得很，最好有旅行、觀光類的雜誌。」

我想起來了，跑到書桌前，拉開抽屜拿出一疊航空信送到美惠的面前：

「這一疊都是美國見聞錄，可算是屬於觀光旅行的，很可以解解悶兒。」

「咦？」她一看全是俞文淵給我寫來的信，便推開了，「笑話！這是給你的私人信，我怎麼可以隨便看！」

「怎麼不可以，我們之間沒有祕密。」

「好。」美惠答應了接過去，但是她放在小几上並沒有打開它們。我知道，她一定對我這態度很不以爲然，但是我也痛苦得很，我是這樣不可救藥地辜負了他們的好意。

「那麼我走了，媽媽他們回來，你替我講一聲吧！」

美惠無言地點點頭，呆呆地望著我推車子出去。我推開街門再回頭向美惠招招手。啊，我第一次感到我和美惠、和媽媽、和一切我這邊的親友之間，起了一層隔膜，這隔膜是由於我的撒謊。

我騎上車，心裡有些發抖，是爲了我的行徑而不安嗎？還是爲了低氣流重重地壓迫著我呢？

但是，到了淡水河畔我們約會的地方，遠遠看見那淺灰色的加別丁夾克，被風吹得鼓鼓的，那熟悉的而又牽引著我的心靈的影子，使我忘記一切地奔向他去。

騎到他的面前，我的車子戛然而止，吱呀的響了一聲，他回過頭來了。我跳下車，向他淘氣地微笑著。

我們倆推著車走下去。

天空滴落了一兩滴雨。

「會不會下雨？」他看著天色問，我沒有回答。

斜過頭來，他又看看我的車子、我的臉，問：

「路好走嗎？你能騎得到圓通寺嗎？」

「你的顧慮眞多！天上的地下的，都在你的顧慮之中！」我是有點不願意了。

「紅色的雨衣沒帶著？」他沒理會我的不願意，衹管看著我問。

紅色的雨衣！我幾時穿了被他看見過？我奇異的望著他。他笑了，像小孩子一樣，像他的女兒的笑容。於是引起我隨便的問：

「晶晶沒要跟你出來嗎？」

他搖搖頭。

「忽然騎車出門，沒有被盤問嗎？你怎麼回答的？」

「你的顧慮眞多，老的小的，都在你的顧慮之中！」他收斂了笑容，向我報復。

我們是不是眞的在無形中有許多顧慮？我們的行蹤不夠光明正大嗎？不想這些，我騎上了車子。

我騎在前面，到了郊外的公路上，就開始奔馳了，他一直追在我的後面。不久他趕上來和我並駕齊驅了，才向我說：「不能小看你，眞要追不上了！」

我笑笑沒理他。

「是不是剛才我一句話給你僵的，所以拚命地跑？」

「我是吃蔥吃蒜不吃薑！」我仍是悠閒的快騎著。

「我是愛吃薑的，有許多事，我都是被僵得沒有辦法。」

「那麼你來圓通寺也是被我僵的嗎？」我撅起了嘴。

「我沒有這麼說，別動那麼大氣。」他平和的說，明明在容讓我。

雨點再落下一滴兩滴，我卻擔心著，眞的我們倆誰也沒帶雨具來，一點防備都沒有呀！

在山腳下，我們把車子存在一家小麵店裡，然後向山上走去。

我把繫在頸間的那塊白底紅點的紗巾取下來，改繫在頭上。我的繫法是紗巾包住頭髮，但把耳朵露出來，它順著耳後繫在後頸的長髮底下。他不作聲的看著我做。

雖然是星期日，遊人並不多，零零落落的三五個人。旅行也有風氣，現在是時興到草山或北投了。

他說廟宇在台灣幾乎是千篇一律的形式，小而且簡陋，沒有什麼可看的。我們匆匆地繞了一圈，便又回到可以瞭望的前面來。這裡是居高臨下，天色雖然陰暗，但是大地遼闊，遠處的阡陌在迷濛中。站在這裡，使人有一種感覺——在大自然下，我們是渺小的人類，我們的一生，不管有多大的變化，在永恆的大自然中，又算得了什麼？何況在人類中，我們又是微不足道的呢！因此，即使我們如果被人認爲不太光明的到這裡來，又算得了什麼！人生是這麼短促啊！

迎面有風，我兩手略略地壓住頭上的紗巾。站在我後面的人，緊挨著我。他的呼吸的熱氣，微微地噴向我的耳後，我有點迷亂，但不敢回頭。

「走吧！」待了一會兒，他輕輕地說。

「我想飛。」這時我才猛地回了一下頭看他，又仰望天空遠處，這麼說了一句。

「想飛到哪兒去？」

「總想到說不出地名的無盡處去，遠離塵世，忘記一切……」

他這時伸手攬住我的後腰，我就不願意自主了，靠近他倚賴著，跟他走。

「你不是一個快樂的女孩，爲什麼？」他摟緊一下我，輕輕的問。

我沒有話可回答，事實上我這時是很快樂的，卻像是在悲痛中取樂一般，總有一絲莫名的悲哀牽制著我。我笑著，常常是爲了怕哭出來。

「不知道。」我祇說了這三個字。我這時祇想盡情的哭或盡情的笑，這樣的發洩應當最舒服，可是誰能眞的這麼做呢？那豈不要被認爲是瘋子了？

漫步走到離廟宇很遠的山坡下，大樹旁安置有一塊石凳，人們不容易來到這裡，石凳上生滿了綠苔。

我停在這裡不動了，因爲有一隻鳥從矮樹叢中飛過，牠繞來繞去，我看牠要飛到何處去！我倚靠在樹幹上。這一帶是陰暗中的陰暗，不知有陽光的日子，它是什麼樣子，它使我想起孩子們在樹林中迷途的童話故事。寫那童話的作者，必然喜歡獨自在樹林中構思而布置幻景。

我用手指擦擦石凳上的綠苔，原來那已經是古舊的綠苔了，鑲在凹陷處，乾得像漆上一道道的綠色，它不至於弄污衣服，我便坐下來了，背靠著樹幹。

他也坐在旁邊，無聊的撿起樹枝在地上劃著，我們享受這瞬間的靜謐。

這時鳥兒飛去了，我的眼光從遠處收回來，正看著他的側面。他的飽滿的圓頭很光滑，順著頸項、下巴、嘴唇、鼻子、頭額畫上去，是很漂亮的線條……這時他忽然抬起頭來了，大概我的注視使他不好意思了，胡亂地指著腳旁一株紅色的花兒說：

「這叫什麼花？」

「這叫不知名的野花。」

「不知名的紅色的野花。」他看著我的衣服說。

我側身低頭看看那朵不知名的小紅花，四個小瓣，兩只花蕊，我曾經在小學的圖畫課上畫過這類形狀的花朵，但是至今還不知道它的名字。它也許叫紫薇，也許叫勿忘我，叫蒨草，萩花，什麼的，花名知道的很多，卻和實際的按配不到一起，所以作文的時候，反而要寫「山坡上長了許多不知名的野花」了！

現在他把我比做不知名的野花，也許很相襯。眞的，他知道的我，和我知道他，一樣的不多。

我把身子恢復到原來的樣子，靠著樹幹。我很懶惰，兩腳也交疊著伸直在石凳上了。爲了這一移動，他就不得不讓開給我伸腳的地方，他站起來，走近樹幹，一隻臂舉起來架在樹幹上，支持著他的身子。他低下頭，正好看見我的臉。他說：

「你現在的樣子，使我想起第一次看見你。」

「第一次？」我在回憶中搜索，竟一時想它不起。

「穿著紅色的連帽雨衣，雨夜靠在電線桿底下。記得不記得，當時你在躲避一輛三輪車？」

「哦！」我幾乎是驚叫了，就是初去他家的那天，當我踽踽獨行在那泥濘的小巷中，正是萬般無奈的心情。

「暗黃的街燈，映照著你的被紅色包圍的臉……」

我閉起眼聽他的述說。

「細雨濛濛中，雖然看不清楚你的臉，但是車過時，你微微地皺下了眉頭，低下眼皮，那時你很不耐煩嗎？」

我睜開了眼，他還看著我：「但是以後，我常常看見你的這種表情。」

「是嗎？我祇是不由然的。」我從頭上取下了紗巾，在手中來回捲疊著。他這時坐下來挨近我的身旁了。

我的長髮披散在我的兩肩，天氣陰暗，我的嘴唇一定是蒼白的了，而他離得這樣近的逼視著我的臉。我想起胸前的小袋中還裝著一管口紅，爲什麼不拿出來塗一塗？於是我用兩個手指把它夾了出來。

他一直看著我，無言的眼光，動我心魄，我假裝漫不經心的樣子拔開口紅蓋，剛要塗到嘴上去的時候，他按住了我的手：

「不要塗吧！」

隨後他就湊近我，輕輕地吻了我的嘴唇，又濕又冷又快。它是突如其來的，又像是我久已等待的，這不可抗拒的力量，終於在我驚疑間又緊壓我。

當他離開我的嘴唇的時候，貼在我耳旁說：

「從第一天我還不知道你是誰時，就給了我不可磨滅的印象，鮮紅的雨衣，蒼白的嘴唇，憂鬱的眼睛，站在昏暗的燈下。當我再在自己的家裡看見你時，眞是又驚又喜……」

我把紗巾張開，蒙住我整個的臉，仰起頭聽他喃喃的述說，感激而快樂的淚，從我的眼角淌出來，浸在紗巾上。他說：「害羞了嗎？」

「不，再說下去吧。」我輕輕地回答。但是他不說了，隔著紗巾，又吻著我的唇和眼。

紗巾在我的頭歪斜時掉落下來了，我以微笑面對著他，但是眼睛還是濕潤的。

我責備自己，一向那樣能夠矜持的我，爲什麼忽然止不住淚水的奔流？這回是我投向他的懷中去了，我雙手擁著他的兩臂，頭賴在他的肩膀上，乾脆讓興奮的淚流一陣子吧！

他用手輕輕地摸撫著我的背，我是多麼瘦！

他一定知道我在哭，低聲的問我：

「是不是我不對了，使你難過？」

不，不，是我太快樂了！我以搖頭代表我這樣的答話。

很久以來，我都懷疑他對我的善意，是不是祇在哄逗一個可愛的小妹妹的高興？今天，現在，我才在懷疑的情緒中解脫了，我流得是這樣快樂的淚。他吻我，使我成長了，不再是一個女孩，而是一個戀人。

他輕輕把我推開來，使我面對著他，他注視著我的眼睛說：

「我們從今不再是普通的朋友了，要彼此安慰和關懷，並且應當快樂，是不是？」

我咬著下唇，點頭答應他。

他幫我整理我的散亂的頭髮，用紗巾抹擦了我的臉。遠處灰色的天空，彷彿開朗了些，沒有光線的投射，就像失去指針的鐘錶，時間到底在我倆的愛戀中逝去有多少，也不知道。

我屈起兩膝環抱著膝蓋，他把手放在上面，我就以頭臉壓住他的手，並且吻著它。

我們不再說什麼，我也什麼都不想，這全意於偎依的片刻，是多麼可愛。有一隻松鼠舉起牠肥滿的尾巴，在我們的面前覓食，牠完全不知道有兩個人在這裡，直到他「噓」地吹了一聲口哨，牠才溜走了。

他的壓在我的膝蓋上的手，戴著腕錶，我輕輕推開那只袖口看看，早已過了正午的時間，我向他示意，我們這才懶洋洋地站了起來。

循著來路走上去，繞到廟前面來的時候，原來香客和遊客們已經參加廟裡的素餐，正在圍桌而食。我們究竟不習慣做趕飯的客人，便慢慢地走下山來了。

寄存自行車的麵食店女主人，笑瞇瞇地歡迎我們的歸來。我們隨便叫了一些麵食，食量都可驚的大了，看著朝天的盤底，不由得使人發笑。

飯後，我立刻就站起來準備回家，他可還悠閒地靠在牆頭坐著，看我站起來，他才問：

「怎麼，馬上就走嗎？」

「是不是吃了飯騎不動車子了？」

「還不至於那麼洩氣，不過太不衛生了。」

但是我急於歸去，不知爲什麼忽然不安起來，是想起了臨來時美惠的眼色。

他到底還是隨從了我。我們先推著車，順著公路走一陣子，算是飯後的散步。公路車駛過來，守著車窗的乘客，都探頭看我們，是我的紅襯衣太引人注目了吧！

大概連他也感覺到了，所以說：「你喜歡穿紅色的衣服是不是？紫紅，洋紅，杏紅，粉紅，鮮紅，我都看你穿過。」

「我哪裡有那麼多紅行頭！是你的錯覺，但是我很喜歡以這種顏色來配我的沒有血色的皮膚就是了，你覺得怎麼樣？」

「那是年輕人專有的顏色，小女孩子的衣服不都是紅紅綠綠的嗎？所以，和你在一起，我也年輕了。」

那麼和另外一個人在一起呢？我心頭掠過那人的影子，便不由得衝口而出地說：

「怪不得你平常那麼老氣橫秋的！」

「是的，工作環境使人不得不擺出老頭子的面孔。」他說完卻淘氣地假裝捋鬍鬚。

幸好他沒注意到我的話的眞意。

騎上車，我們便專心行路不說話了，迎面有風，喝著風說話也難過。這樣速度便加快了，他仍是落在我的後面，當我回頭看他的時候，他不得不苦笑著說：

「我簡直是老牛破車，想不到你倒是……」

我也很奇怪，我的運動樣樣不行，怎麼衹有騎車這一門，竟練得高人一等的本事？恐怕是合作的運動或遊戲，我總躲避著，能夠獨斷獨行的事情，就比較適合於我吧。

但是他怎麼向他的家人交代忽然騎車出去多半天的事情呢？我知道，除了晶晶以外，他並不喜歡我提及他的家庭，我又何必多擔這份心呢！即使快樂衹有刹那，也是屬於我們兩人的，不要別人闖進來破壞我們的情緒。

回到台北，分路道別以後，我順路到一家熟食店買了一些小菜回來，是美惠喜歡吃的滷牛筋，還買了燻魚給媽媽，明知道媽媽早上到菜場買了豐富的菜餚，我爲什麼還要這樣做？掩飾心情的不安，希望使媽媽覺得我關心家裡有客人吧？尤其是今天林教授也來了。

但是出我意料之外，走進家門竟靜得像每個人都在過陰天睡覺了，我還以爲高朋滿座，第一就會聽見敏姨的叫喊聲呢！

我輕輕地推門進屋，一眼望見李新坐在裡屋床前的椅子上，正專心的看著一張報，美惠半臥坐，也擠著頭在看報紙背面的那一版。屋裡並沒有其他的人。

媽媽呢？

原來她正在飯廳熨我的裙子。我先把手中的小包包藏在背後，到了媽媽的面前才舉起來說：

「我還以爲有滿屋子來度週末的客人。」

「誰說來度週末呀？你又到哪兒度週末去了呢？」

我做出無所謂的態度朝臥室中走，「美惠沒告訴您嗎？跟他們一家子到圓通寺去了。」

李新見我回來，便站起來了，美惠問我說：

「玩得高興不高興？」她注視著我，我怕她那銳利的眼光。

「還好。」我隨便地說，趕緊把話題轉了方向，「看，我還以爲家裡有許多客人呢！李新，你不是說請林教授來吃飯嗎？」

「他本來願意來，但是先跟別人有了約會，所以很遺憾不能來。」

媽媽進來了，她把熨好的衣裙替我一件件地掛起來，鼻尖冒著小汗珠。

「嘿，你知道不知道，」美惠興奮地對我說，「他們在給林教授介紹女朋友呢！」

「哦？」我眞是爲之一驚，偷眼望去，媽媽很沉靜，像沒聽見什麼，祇是在用手掌抹她臉上的汗。隨後我便說，「我怎麼會知道呀！那你們又是怎麼知道的？」

「喏，他去找林教授，說是不能來，後來又到一位同學家去，同學的父親也是他們系裡教授，他說的。」美惠說。

我看看李新，他和美惠一樣，對於給林教授介紹女朋友這件事，覺得新奇而有趣的在談論著。

「那麼你們猜林教授願意不願意？」我是有意地問話。

「恐怕不願意吧，因爲據說他們簡直是押解著林教授去的。」李新說。

「那些人眞開玩笑！」美惠不屑的，不知道爲什麼。

「怎麼會開玩笑呢？介紹女朋友不是一件好事嗎？」我問。

「我也不知道我爲什麼有這種莫名其妙的心理，總覺得那樣博學而文雅的林教授，是很少人配得起他的，我怕他會一失足被人推到不幸的婚姻的陷阱裡怎麼辦？」

「我也有和你一樣的感覺。」我說。

但是李新哈哈大笑，他說我們簡直是杞憂，林教授有個家庭是太應該的事，他不應當一邊作學問，一邊又料理自己的生活，那對於一個中年以後的男人是殘忍的。

李新的話很對。媽媽正點上一支菸在慢慢地吸著，菸霧蒙著她的臉，但不知她聽了這消息做何感想？李新轉身去開窗戶，進來一股清涼的空氣，我竟打了一個寒顫，想起媽媽給林教授的信。是爲了我這個不肖女，媽媽犧牲一切的，她外表的鎮靜，何能代表她的內心？我很心疼媽，說不出來的心情，使我走過去挨近她，順手整理她的零亂的頭髮。

媽隨我替她弄，對於李新他們的談論，做一個靜靜的旁聽者，也不參加意見。

我心裡也在想，今後我和思敬的關係不再是簡單的了，它剛開始，以後怎麼了結，我現在不願意想，我祇是一開始就那樣傾心於他，想想他今天所說對我的最初的深刻印象，可見我們的心靈早已交流，我怎麼能放棄和他的會晤呢！

但是美惠很快的就要回到他們自己的家去，這裡，如果我再整天的向外跑，可以想見媽媽的寂寞。我有一種別的女兒不會有的心意，我要挽回媽媽和林教授的感情，不要媽媽爲我懷著遺憾老去。

「小姐！我的耳朵！」媽媽喊了，掙脫開我爲她整理頭髮的手，原來我把髮夾刺到她的耳朵上了。

「媽！」我輕而快地吻一下她的面頰，她笑了，這樣可憐。

十一

晶晶雖然活潑而有趣，但她究竟還是一個謙虛的孩子，面對著這張要填寫的聯合招生志願表，硬是不敢說出她的第一志願要填哪個學校。

她的媽媽爸爸和我都圍繞著她，我手執著筆逗她說：

「第一志願填哪個學校？」

她那麼嬌憨地笑了笑，躲進媽媽的懷裡。

「晶晶的第一志願，當然要塡制服穿得和郵政局一樣顏色的那個學校啦！」這是爸爸開的玩笑。

「我不會考取。」說晶晶謙虛，毋寧說她是恐懼。

「考取考不取是另一件事，志願總是要這麼塡的。」我說，「晶晶，不要害怕，對什麼事都要放勇敢些，我來幫助你。」想起她在模擬考試時，答了試卷出來的緊張樣子，我應當這麼勸她。但是猛抬頭看見站在她們身後他的眼神了，我雖保持鎮靜，但心也不禁突突地跳動。

昨天我們深夜徘徊在街路上的時候，他在含蓄的語意中，就曾這麼勸慰我的，使我勇氣鼓舞了，不再在他的偎依中顫抖。當時我們是散步在總統府前面的廣場上，青色的螢光燈照著他和我，我的淺綠色的綢襯衣變成灰色的了，他的光采的臉龐竟出奇地慘綠。我正爲這無目的的徘徊感覺無奈的時候，再看他這樣的臉色，更覺得不安了。我憂傷地說：

「我們該回各人的家了！」

他牽我橫過馬路，躲開了那些青色的燈，進入黑暗的校牆外的樹下，說：「沒有勇氣走下去了嗎？」

我在他的擁抱中戰慄了，他捧住我的臉又說：「雲，不要怕，我幫助你。」

回家後，我躺在床上輾轉難眠。我想得很多，我應當有勇氣，像媽媽當年一樣。以前我曾不了解媽媽，但是現在我長大了，知道了一些。爲什麼媽媽有勇氣隨著爸爸去，原來那樣的戀情是多麼的溫馨與甜蜜。而且我也應當促成媽和林教授，不要讓她爲我失去她當年那樣的勇氣，我已經可以自立了。

晶晶的學業已經結束了，現在祇是在溫習準備應付考試，我可以不限定在晚間來補習。今天是週末，我便是上午來的。

晶晶在這家裡，也像小公主一樣的重要，梁太太不露痕跡的喜愛著這個不是她生的孩子，敏姨她們所謂的「婦德」也就在於此吧？按說，她應當多麼妒嫉另一個女人和她丈夫生的孩子呢！但是，沒有妒嫉，就沒有愛情，他們既是沒有愛情的一對，我又有何可妒嫉她的？我心安理得的不拿梁太太當回事了。

我幫著晶晶把志願的順序填好了，梁太太說：

「如果考上第一志願，我們可得好好的謝謝夏小姐，嗯？」她老氣橫秋地對他說。

他微微點點頭，卻沒說什麼，眼睛可怕的深深地望了我一下。我心裡怨他，在這樣的場合下，不應當這麼不自禁地用這種眼光看我。

好在梁太太沒注意到這些，但她忽然不說話了，退後坐在靠書櫥的椅子上，兩手架在書桌上，無聊地在看她染成銀紅的十個指甲。她略挑起眼皮，額上的紋路便忍不住要表現出走過的歲月來。她的頭是低的，我站在對面看下去，就覺出那嘴角已微微地下垂。

這剎那間的沉默，使空氣滲入了鉛，忽然沉重了，會壓迫人。他爲什麼祇點點頭而不答覆她的話呢？我祇好趕緊接過來說：

「如果能考上，也是晶晶自己的本事，她原本就是個又聰明又用功的學生。」我這是實在話。

晶晶用小手輕拍著胸口，有些害怕地說：「哎呀，我一定考不上，一定考不上。」然後她又向他說：「爸，你哪天去台中？」

「明天。」

「爲什麼要明天？正是禮拜天。」晶晶撅起了嘴。

「你有什麼事嗎？晶晶。」

「要你請我們看一場電影，」她又望著我說，「好不好？」

「要看什麼，叫你媽媽請好了。」

「你從來就沒請過夏老師。」晶晶淘氣地纏著他。

他卻向我一瞥說：「那麼，晶晶，我把請客的錢交給你好了。」

晶晶高興地合掌向我伸了一下舌頭，說，「看什麼去？」

我也不禁笑了，我說：「幾部好電影我差不多都看過了，」桌上正有一份報紙，我打開電影版，唸著說：「《逃獄驚魂》，不錯，我看過了。《魂奪情天》，也不錯，我也看過了。晶晶，我們把看電影的約會往後推好不好？這些片子太緊張，你不應當在考試前看它，等過些時《指拇仙童》來了，我們再去看。」

晶晶乖巧地答應了，她說：「可要一定啊！」

「當然。」我答應她，「你明天和後天都放假，正好在家補睡兩天覺，你用功用得睡眠都不夠了。然後，到淡水去划划船。」

「那，爸明天什麼時候去台中？」

「急事，一早就走，你還在睡覺。」

「回來呢？」

「後天晚上，你也已經睡了。」

「眞是的！人家好容易連著放兩天假。」晶晶有些怨了，我可以看出，她在心情上更喜歡她的爸爸，因爲在人前那樣少話的他，和晶晶就常常孩子般地瞎扯玩笑，不像嚴肅的媽媽，總講正派話。

我也沒聽他說要去台中的話，一定是公司裡臨時發生了事。近來的頻頻見面，使我也感覺到離別兩天有和晶晶一般的心情了。

他的這間房，早晨有些東曬，好在這時的陽光已經漸漸從紗窗撤回去。窗外是一棵燈籠扶桑花，因爲綠葉正輕輕地搖曳，便使光線不安定的投射到屋裡來。這屋子裡的四個人——思敬和我們三個女性，都有著不安定的心情。他會不會很苦？因爲他要應付我們三個人，而每個人都有她不同的身分。但思敬說得也許不錯，是我使他年輕了，年輕的活力與衝勁，是不顧一切的，就像文弱的我，騎上車子也能奔馳一陣子。

從梁家出來，已近正午了，自行車放在院子裡，車座曬得滾燙的，我用手在上面打了幾下，我這舉動眞愚蠢，車座的熱氣，並不是這樣拍拍就可以驅走的。

但是梁太太這時卻守著窗子向院子裡的我說：

「你也騎車呀？」

也騎車？我的心一跳動，回答她說：「是的。」抬頭看一看她，綠紗窗裡的那張臉，被窗外搖曳的綠葉映照出來，幽靈似的！我今天的心情怎麼這麼不舒服！他呢？躲到哪兒去了？

回家午飯後，我從睡得難以沉著的夢中驚醒了，夏蟬長鳴，原來是牠跑進我的夢中，用鳴聲抓搔著我的心。醒來後，口渴得很，要到飯廳去找水喝，起床蹌踉地奔向外屋，媽媽已經午睡醒來，呆坐在沙發上吸菸。我不由得停住了，倚靠著屋門，整理我的頭髮，並且想：媽近來菸吸得眞多，話說得眞少，她一定是爲了一件事——是爲我的行蹤不明，還是爲林教授的女朋友？如果兩樣都有，那麼她的心眞是夠沉重了。

「怎麼樣啦，你？」媽回頭看見了我。

「睡得難過。」我還睡眼惺忪，摀住心口，喘一口氣，「渴醒了，可笑吧！」

「天氣一天天地熱起來了，我也睡不好。」她把菸蒂擠在菸灰碟裡，站起來去替我倒茶水，我就一下子又歪到沙發上，我眞懶死了。

我喝下一杯水，又閉上眼睛養一養神，我用手撫擦著眼皮，免得浮腫得難受。但是一閉上眼睛，我就想到一件事情上去了——他要到台中去。那麼——我也要到新竹去！去看美惠，她回去差不多一個月，來信說恢復得不錯了，已經開始上課，要我等晶晶考試後去她那裡住住。現在，我要提前去，有些事情使我不能自持。這樣想到我就說了：

「我要到新竹去看看美惠，她寫信總是要我去。」我對媽媽說，但是眼睛沒敢睜開來，還是用手指摩著它。

「什麼時候去？」

「明天好不好？」

「等放假不好嗎？我也可以去。」

「我很惦記她，明天去了，後天回來。」

「後天是星期一呀，你還有工作呀？」

「補習是晚上，那以前，我就回來。」

「也好吧，美惠是夠悶的。」

媽答應了，我睜開了眼。

我換衣服的時候又對媽媽說：

「我還要去看看學英文打字的地方，敏姨總是催著我去學。」我把皮帶用力的繫上腰際，它又靠後了一個新孔，媽媽說：

「看，瘦得前心貼後心了。」

「腰細點兒不好看嗎？」我快速地用舞步轉了一圈，肥裙張開來。媽媽沒再說什麼。

也許近來我太苦了，費盡心機在撒謊和防備，以尋求那不可捉摸的戀情。

我拿起了敏姨送我的小小錢包，是人家從美國帶回來送她的，她轉送給我。米色的皮面上，漆滿了金銀紅綠的花紋，熱情而豪華的顏色，我特別喜歡它。

「去見敏姨，拿她送我的東西，她會喜歡的。」母親注視著我的舉動，我找了這麼一句話說。

「到哪一家去學呢？」媽媽問。

「現在就是要去問敏姨。」

「總要離家近些的吧，不要每天跑到老遠去。」

「當然。」我說著，已經走出屋門了。

「傘！」母親提醒我。

我回一步，又踏進屋門裡，在牆角找到這把晴雨兩用的花傘。我瞥了媽媽一眼，媽很無聊，正低頭摸撫拉琪的頭。拉琪，熱得直吐舌頭，哈拉哈拉的喘。

「媽，您很悶，不找朋友來聊聊嗎？我找敏姨或者林教授他們來，好不好？」

「我一個人很清靜。」

「也許我會找他們來。」我這樣說，並不理會媽媽還在說什麼，就祇管跑走了。

一股不可抗拒的力量推動我走向電話亭的方向去。我心裡什麼要說的話都沒有準備，便把電話撥到旭光去。

「喂。」那是他的聲音。

「喂。」這是我的聲音。我兩手捧住耳機，縮在電話亭的一角，外面驕陽下，行人很少，連向來在電話亭旁搗亂的兒童都沒有。我原可以和他暢談的，但是我不知道要說什麼。

他知道我是誰了，所以說：「你在哪裡呢？」

「在天邊。」我說了，竟覺得無限的委屈，想哭了。我渴慕他，這樣厲害，他可知道？

我們的電話霎時無聲了，當然，我讓他怎麼接下去呢？但是我不管，我祇想賴著他。

「那麼，嗯——」他的聲音低沉，一定是緊緊地把嘴靠近送話器。

「你明天幾點的車到台中去？」我不顧一切地問。

「大概是早上八點二十的柴油快車，怎麼，要送行嗎？」他有點玩笑的意思。

「請多買一張票。」

「買張月台票嗎？」

「買到新竹的票。」

「啊——」他的聲音略感驚奇，「你要到新竹嗎？」

「不可以嗎？你忘記我在新竹有朋友了？」

「好吧好吧，」他立刻快速的答應了。跟著又：「嗯——」他不知道在猶豫什麼。當然，我託付他的事情太突然了，使他想不出我要和他同行的意義，但是他應當有這種感覺的——我是在找機會接近他。他可曾遇見像我這樣的一個女孩子嗎？

「你擔心什麼嗎？」我在電話裡笑了。

「不，還有什麼事嗎？——請坐，請坐一下。」顯然的來了客人。

「不談了吧？你有人來了。」

「明天見。」

我放下電話，手心全是汗，塑膠的東西眞討厭！

我的傘是綠花的，支開來，在它的下面，彷彿滿窗的陽光被綠色的紗窗簾遮住了，有一種溫柔的感覺，很舒服。

到敏姨家去，要坐一大段公共汽車，這樣熱的天，我到她家去做什麼呢？我眞要學打字嗎？是的，我是要學，在情緒上，我很有應當充實自己的意念。愛，使我變得積極了，無論是行動或者心情。

車裡的人都昏昏欲睡，連車掌小姐的哨子都吹得不起勁。到站的時候，我從車上跳下來，踢死牛的鞋尖戳到土裡一下，白鞋尖上挑起一撮土，很可笑，車掌小姐關上了車門，車開了，她還望著我在揮鞋上的土。

我可以猜想到，這麼大熱天的下午，敏姨是怎樣享受她的生活：穿著肥大、不合體的、從美國救濟物資那兒買來的洋裝，把自己的大身體裝在家裡那張最舒服的躺椅上，喝著冰水，看著洋書……當我輕輕推門進去，看到果然不出我所料的情景時，我不由得抿嘴笑了。

「什麼事這樣高興？」敏姨的花鏡快掉到鼻頭上了，她的眼睛從眼鏡上面望出來，這麼說。

「因爲我很高興您在家，下午沒有課嗎？」我走到她的面前去，把傘靠在躺椅旁。

「課都是上午的。你好久沒來了，在忙什麼？」她指著旁邊的椅子。

「我嘛，」我坐下來，開門見山的說，「我想學英文打字，來請教您。」

「好極了，我一直贊成你學的，做家庭教師並不是長事。」她拍拍我的手背，坐起來。

「是的。」我望著她。

「哦——」她考慮著什麼，「學打字，一方面也把英文進修進修，我來給你設計設計。」

她興奮地站起來了，到書架前去找書，找了一大堆來說：「這些你拿去自己看看，哪一本適合你的程度。學打字的地方，我的一個朋友開的打字行，離你家不遠，人少，打字機也好。」她一邊翻動著書，又說：「對了，還有一本會話書，被林教授拿去借給他的學生看，你可以跟他要。而且，林教授離你家近，你平時多去找他請教，必更有益處。」

敏姨簡直要把我造就成一個英文專家了，但是說到林教授，我很樂於究其竟，便問：

「林教授不是在交女朋友嗎？我不好去打擾……」我話還沒說完呢，敏姨連忙的大擺其手，大搖其頭，嘟著嘴說：

「哪裡哪裡！他根本就無意於此，是別人硬要關心他的。」

「林教授爲什麼不願意呢？」我拿起一本書，亂翻著問。

敏姨似乎無法回答了，她用手指摳抓著額頭、鼻孔，那舉動眞粗魯，但是那心思卻很細。

「曉雲，林教授的眞正的心意是很難達到的啊！」她說完不勝感慨地拍著我的肩頭，我知道那意義。

敏姨順著我的肩頭摩摸我的胳臂，無疑的，她一定是在想林教授和媽媽，以及媽媽和我的問題。我想美惠他們可能不知道媽媽和林教授之間的事，但敏姨一定知道。但不知敏姨對於他們倆的意見如何？牽扯著自己的母親，又是這類的事情，當然敏姨不會跟我談，但她的語氣幾乎是脫口而出了。

我低頭玩弄著手中的小皮包，因爲我很難接下話語，她也許在想，要不要和曉雲談呢？她哪裡知道曉雲已經知道大部分了，而且也爲這，常常使我的心情不能平復。我確有一點不能忍受母親再婚，這是基於我們的傳統，雖然我看林教授和媽媽配成一對，比爸爸更合適；雖然我對爸爸的親情並不濃厚。但是遇見了這種事情，就有說不出理由的感情在翻動了。然而我願意媽媽快樂，再過一段幸福的夫婦生活。我是多麼矛盾啊！這種感情的掙扎，使我急於求解脫，於是我才像一隻急躁的白蛾，奔向燈火嗎？

也許我的沉默使敏姨也感覺到了，當我回眸向她無可奈何地一笑時，我們眞是「盡在不言中」了。

我也不由得說：「媽很悶，您不去陪她嗎？」

「你呢？她有你就行了。」

「我是我，和您不同。你們可以促膝談心呀！她和我談的是，多穿衣服，拿著傘，帶著錢，別回來太晚……」

敏姨用手指羞了一下我的面頰，我們都笑了。

然後我又禁不住大膽而毫不知情似地說：

「您也可以約了林教授到我們家來呀，你們的年歲相近，談得攏些。」

「你願意嗎？」她的話中的意思，似乎是指的林教授了。看樣子祇要我願意，唉！

我怕太顯露，扯到別的問題上：「當然願意，我和媽媽都喜歡熱鬧呢！雖然我們母女都是著名不喜歡說話的人。」我搖晃著身子，孩子般的。

「而且，」我又接著說，「我明天要到新竹去看看美惠。星期日，媽媽一個人在家，太寂寞了。」媽媽低頭撫弄拉琪的樣子掠過心頭，使我心酸。正是因爲看出媽寂寞的心情，使人心煩，才逼得我去追求一時的快意，我知道，我壞極了。

但是敏姨卻說：「對，你和美惠談你們的！」

敏姨這時去櫥裡拿出一罐鳳梨汁罐頭，打開來，沖入涼開水，又加入幾塊碎冰，送給我喝。我喝完又津津有味兒的嚼著冰，硼硼地響。敏姨竟皺起眉頭摀起自己的嘴巴說：

「別那樣，像狗嚼骨頭似的，肉麻死了！」

我停止了嚼骨頭，敏姨才笑笑說：「年紀輕，到底不同，我的牙吃了鳳梨都會酸倒了。」

我不願意再聽敏姨嘮叨她的老態，我說：「敏姨，我現在就去找林教授要那本書可以嗎？同時我要聘請他做我的家庭教師呢。」

「那他還不高興，祇怕你媽媽不贊成。」

「不是我贊成，就能解決一切嗎？」

敏姨看著我，莫名其妙地點點頭。

我和敏姨又翻開她給我拿出的幾本英文書，她給我講解每一冊的優點在哪裡，並且告訴我自修的方法，我雖然仔細地聽受了，但是心裡也不免責備自己，我有這樣好的進修環境和鼓勵我的人，但是心緒散漫極了，簡直是一個無可救藥的人。但願今後我能振作起來，認眞地充實自己。唯有一書在手，心中才能平復下來，我一直知道這道理，但是爲什麼就做不到？我祇能零零碎碎地看些閒書，不能做有系統的進修。

「我走了。」我把書本收拾起來，用報紙包好，「您明天一定要去陪媽媽。」

「好的好的。」

乘上原路的公共汽車回來，在離家的前兩站下來，很容易找到林教授家。我從來沒有到過他家，幸喜今天有很好的藉口。

聽說這是他自己租來的一幢小房子，原來和另一位他的助教同住，但是年輕的助教結婚了，又剩下他一個人。

我出現在他的房門前，使他有點兒驚奇，我笑著說：「林教授！」我輕輕叫了他一聲，點下頭。

「哦！」

「我從敏姨家來，她介紹一本書給我，說在您這兒。」我一邊說著書名，一邊跟他走進了屋子。

屋裡顯得暗些，但令人有安靜涼爽的感覺。屋裡裝的是地板，走起路來，靜得都彷彿有回聲呢！屬於沒有女人的房子和屬於沒有男人的，味道的確兩樣，我們家和林教授家是強烈的對比。他的房子雖整潔，但不美化，呆板得很。

林教授是個教授的樣子，穿著簡樸，風度文雅。微微有些禿頂了，頭髮有一部分眼見在做隨著年資而撤退，但是他實際年齡並不太老。

他想了想，果然從書架上找出這本書，打打塵土，遞給我說：「你要用嗎？」

「是的，敏姨並且說：『請林教授教你吧？』於是我就來了！」

「哦哦，有問題就來問我。」

「但這是一本會話，自修恐怕不如有人面對教導練習更好吧？」

「也可以，也可以。」

我感覺出他見到我竟有些不自然，也許是我多心。但是看見我，他一定聯想到媽，想到媽，他又怎樣呢？他怎麼不問聲，你媽媽好嗎？這祇是一句普通的應酬話呀！

於是我不客氣地說了：「媽媽讓我見著您向您致意。」

「哦，她很好吧？」這才說。

「很好。您明天有工夫嗎？請到我家玩玩吧？我是要拜您做老師呢！同時還有敏姨，我都請做我的老師，讓媽媽燒兩個菜請請您。」

「好極了，我有工夫就去。」

「不，要說一定喲！」我噘了噘嘴，完全不感覺這是我一個人的謊話。我也不告訴他，我明天並不在家。

我很高興他答應了。他的態度很和藹，完全把我當做他的一個女學生似的，可惜我的懶惰與不健康，失去了進大學的機會，否則，就是他的一個正牌學生了。

我連一杯水都沒有喝到，這就是男人不同的地方，看敏姨，人家說她怎麼男性化，還是保存著女性的細心呢！

這一切，我都做得很自然，雖然我的心情並不自然。

我告辭出來的時候，用傘尖戳著院子裡的土地，很自然地說：「跟您說定了。明天見！」

十二

離開家的時候，媽媽還在高臥，她在享受星期日之晨——睡大覺。我早早出來了，去趕八點二十到新竹的柴油快車。

晨曦中我來到大街上。空氣清新，我懷著小鹿亂撞般的興奮心情，灑水車水濺到我的鞋上裙上，我也原諒它！

街道兩旁的店鋪，還在早睡，祇有賣早點的開了門，但是星期日的早晨，豆漿店也是清閒的，人們都在家裡享受一頓星期日早點了。

我還空著肚子呢！進去吃？還是先到車站再說？我猶豫了一下，車子來了，替我解決了問題，我上了車。

我的行動也夠荒唐的，昨天電話中匆匆道別，不知他究竟是否給我買了車票，會不會當我是開玩笑的？因爲我請他買票子的態度太不夠正經了。如果沒有買，星期日的票買得到嗎？但我有一種預感，他是更早的已站在火車站前等著我了：提著旅行袋，穿著——他幾乎不穿香港衫，而是喜歡穿軟領的格子襯衫，絳紫加白的顏色，近到他身邊，散發著香皀的味道，給人清爽的感覺……

我想得腦力不集中了，眼望著火車站的大鐘，竟差點兒不知道下車。

我順著公路車西站的出入口走進去。眞的，他果然在我的盼望中佇立在那裡，但是他是向著東站望，我走近他的後側。

「在等誰？」我猛然地說。

他回過頭來，驚異我來的方向。「我正在想，」他說了半句。

「想我會不會來？」

他牽動一下嘴角笑笑，不承認或否認，把我手中的提包接過去，我們向車站裡走。

我們夠大膽的，這是一個公眾的地方，每個人到車站都會遇見相識的人。我不怕遇見誰，然而他呢？

他彷彿並不忌諱什麼，仍然在一群候車的乘客中和我低語，他說：「祇要一小時，就到新竹了。」然後他從襯衫袋裡拿出一張票給我。

「你呢？」

「我嘛，再多坐一個半小時到台中。」

「我們祇同車一小時。」我很有點兒遺憾，爲什麼不坐慢車？那樣，差不多三個小時才到新竹。

走上了車廂，對號坐下，我靠在窗子邊。

「我猜想你一定還沒吃早點。」他說著從手提包裡拿出一個紙袋來，遞給我。

我打開紙袋，裡面顯露出的是兩塊烤過的吐司，夾著黃油、肉鬆和酸黃瓜，這是他家的製品，我知道的。

立刻有一股莫名的情緒，使我心情紛亂，我說不出是悔，是妒，是悲。

我把它放回紙袋裡。他正站在我的眼前，探著身子在向上面放旅行袋，我眞想一把摟住他，頭靠在他的腰際，讓我心境平復。但我衹輕淡地說：「你猜錯了，我吃過咧！」

我把食物遞還給他了。這時車已在蠕動，人們乖乖的回到自己的座位上來，因爲當它一駛出了站，就要拚命搖晃地奔馳了。

我們同車衹有一小時的時間，但是自從車開出後，我倚著車窗向外發愣地看著，已經經過十分鐘的時間了。他在忙著看當天的報紙，似乎沒把身邊的我當回事，他不珍惜這短短的一小時嗎？或者他對我不斷地黏著已感到不太愉快呢？在下意識中，我總是千方百計的打主意接近他，我爲什麼這樣呢？我怎麼辦呢？陽光照著車窗，我把遮陽窗簾拉下來，隨手在皮夾中拿出一本書——《海的禮物》，林白夫人的名著，她告訴婦女們，怎樣在紛亂的世界，紛亂的生活中，取得一份寧靜給自己。這是我要帶給美惠的許多本書之一，我已開始看了一些，我想它對於結過婚的女性看，比對於我更合適些。這種體驗人生的散文集子，不一定要順著次序看，尤其對於一個旅行的人，可以隨便翻開哪一頁閱讀。我無意地翻開了第八十六頁：

聖艾克司雨貝希所說的「情緒的生活，真實的生活，是間歇的，祇有理智的生活才是永恆的……情緒……時而能看見全部幻像，時而變成絕對盲目。舉例說，有人喜歡他的農莊——可是有時他會發現他的農莊不過是一堆互相沒有關聯的物件罷了。有人愛他的妻子——可是有時他會在愛情中發現，除了負擔、阻礙、束縛之外，別無所有。有人愛音樂——可是有時他會聽不進音樂。」

我們的感情的「真實的生活」，以及我們和別人的關係，也是間歇的。當你愛某一個人的時候，你不會無論哪一刻都愛他，也不會總是一樣地愛他的。這是辦不到的事。假使有人裝佯，說他會，他就是說謊。可是這卻是我們大多數的人所要求的。我們對人生、對愛情和對別人的關係等等方面的高潮和低潮，很少信心。我們跳起來歡迎各方面的高潮，懷著恐怖來抵抗低潮。我們害怕潮退了會永遠不會回來……

我闔上書，心裡有些發抖，不知爲什麼？我把書本放在我的膝上。我看了她的書，心中並不能寧靜。我發抖，是因爲早晨沒有吃東西就乘車的緣故嗎？手錶指向八點五十分，桃園到了，但是車子沒有停，把桃園的牌子丟在後面。時間已經過去二十五分鐘了，他的臉還埋在報紙裡。

我站起來活動一下身子，這種快車廂大概爲了減輕重量，所以做得小了些，我這高個子，腿伸得不能自如，實在不舒服。我這一舉動，才把他驚動了，他總算離開報紙，深邃的眼光望著我。

「坐累了嗎？」

「太小的座位。」

他又拉過我的手，讓我挨在他身邊。

「你說兩部電影片子都看過，是眞的嗎？」他正經的問。

「什麼？」我沒有明白。

「你說《逃獄驚魂》和……」他展開報紙上的電影廣告版，「和《魂奪情天》都看過？」

「我爲什麼說謊？」

「那就好了。」

停了一下，我覺得很不對碴兒，便問他：

「你這是什麼意思？」

「沒有什麼意思，我祇是也很想看罷了。」他拍著我的手，那意思彷彿是安慰我，教我別生氣。

「把故事講給我聽聽。」

「那我就得給你講到台中才講得完。」我看著手錶說。

「講個大意好了。爲什麼說太緊張而晶晶不宜看呢？」

「的確是的，你看這兩部片子的名字，還不夠驚險嗎？」於是我就粗略地把這兩個電影故事講講，最後我不由得要說：「兩個故事中對於人性的描寫極成功，逃犯和壞女人也一樣有善良的本性，但是編故事的人多膽小啊，他們爲什麼不敢讓逃犯脫逃成功而一定要束手就縛呢？在黑人的動人心魄的歌聲中就擒。而另一部片子的壞女人呢，乾脆讓她被人打死了，編故事的人怎麼沒有膽量讓她和法蘭克辛那脫美滿的結合呢？嗯？——」

我講到這裡直望著他的臉，他倒聽得舒了一口氣，笑笑說：

「不這樣，社會的秩序怎麼能維持呢？你想得總比別人多得多。」

「是的，別人如果先後看過這兩部電影一定都是滿意而歸，不會把它們聯想到一起；但是它不知怎麼，就使我想到這麼多了。就像還有一次，我又是同時看了兩個電影——左拉原著改編的《酒店》，和雨果原著改編的《孤星淚》，兩本原著好，電影也好，看了很感動人，但是它竟使我許多天都在想，人生是無望的，是不是？一直到看了西德片《菩提樹》，才使我心境恢復過來，我就是這麼敏感！」

他不說話了，祇把頭點著，眼愣愣地望著前面的座位。他也在細細琢磨這些人生的問題嗎？

「怎麼不說話啦？」我問他。

「我不是一直在聽你說嗎？你知道我是一個很少說話的人。」

「我也是很少說話的呀！唯有在你的面前，心裡什麼都抖落出來了。」

他像看一個有趣的女孩那樣的看著我。我怕他不看我，看了我也很可怕，心裡有一根不定的游絲，總是飄來浮去的。

「你在新竹有多久的耽擱？也許我們還可以約定同車回台北。」他問我。

「不一定，全看我的高興。你呢？」

「我星期一總得回來的。」

「住在哪裡？」

「總是在虹山旅館的時候多，那裡清靜，環境好。」

「虹——山——旅——館。」我嘴裡輕輕的唸著，手指在書本上畫寫著這幾個字。

「問得這麼詳細，有什麼不放心嗎？」

「是的，我不放心，或許去查看查看。」

「眞的？那麼我就等著你。」他笑了一下，這麼說。

這時，我看看錶，快到目的地了，車廂中已經有人在活動，取行李、收拾東西。

「到了，我。」我說。

「是的。」他毫無表情，也沒有約會，我總覺得對於這次的同行，他是有著勉強的心情。

車進新竹站了，我站起來整理好一切，手提著旅行袋，站在前面座位靠背，面對著他。我說：

「祝你繼續一個沒有人打擾的快樂的旅程！」

想到這一小時同行的旅程，有什麼意義？半小時的沉默，半小時在聽我一個人嘮叨。但我應當原諒他，在公共的地方裡，他不能無所顧忌，他雖然口口聲聲對於改了行的工作表示厭惡，但他畢竟還是一個做事負責任，有前途的人。何況他有一個家，一個心愛的女兒呢！和我，是不是抱著祇可以在暗角中取樂一會兒的心思？今天這情形是我闖入他的光明的一面來了。想到這兒，多麼令人氣結！但是他卻說：

「下面一個小時半的旅程，會突然感到寂寞了，祇好睡覺，閉上眼睛慢慢地想——」

這時上來了從新竹上車的客人，我的座位立刻被一位肥胖的女人佔坐，我讓出座位走出來，彎下腰輕輕在他耳旁說道：「祇當我在你的身邊。」然後我擠一下右眼淘氣的笑了。

他斜頭瞥了一下那肥婆，正襟危坐，擺出正經的面孔，以打消我的淘氣的話語，免得被人注意。

我下了車仍立在車窗外，等候快車開出站去，我和他招了招手，竟有無限惜別之意。

車遠去了，我還發了一會兒呆，在那一剎那間，我的頭腦麻木了，竟忘記置身何處，連美惠的地址都想不起來了。

走出收票口，走出車站，我的思維恢復正常，才想起了美惠他們的住處。

來過新竹，還是許多年前的事情，爸爸的朋友在新竹開工廠，邀我們全家來玩的，記憶已經很模糊了。但是，在台灣許多市鎮車站前的情景是類似的，例如，火車站外就是巴士站，它緊接著火車到站的時間，再把旅客轉載到另外的鄉鎮去。所以，也就不覺得這裡比別處更陌生了，我相信即使我一個人跑到台中市去，那車站一定也是一樣的，我也會找到那個叫做虹山旅館的，啊，虹山旅館！

新竹是一個整潔的城市，雖名風城，卻很安靜。我雇了一輛三輪車到美惠的住處去。她說靠近郊區，宜於療養，可惜我的病已經結了疤，用不著療養，但是近來我體重反而更輕了，大概是心常常跳出心槽，跑到別處去，所以就失去了一部分重量。

星期日的上午，不知美惠和李新在如何度著它？她在看本子，拿著紅筆畫分數？他呢，鋤鬆院中的土，給絲瓜搭棚架？不過她來信說，絲瓜已經可以吃了。吃著絲瓜，想到自己還不如絲瓜可以結子呢，一定心裡很難過，不懂造物者爲何這樣懲罰他們啊！

這條街眞安靜可愛，它是寬寬的柏油路，路旁兩排大樹把這條街遮成一條蔭涼的甬道，沒有一輛車、一個人在路中行走，除了我。走到柏油路的盡頭，再下去就是通郊外的石子路了，最後的一家才是美惠的。

門虛掩著，我推開它，吱呀一聲，像是電影裡的一幕鏡頭。我好像來過這裡，非常熟悉地走到後面去，她說過在樹蔭下看那麼大的田莊，夠她發一下午呆的，本來美惠哪裡是肯發呆的人！

後面果然是廣大的一片田，家前是街，家後是田，和純都市的風趣自是不同。美惠穿著睡衣在飼雞呢，身子背著我。

「看！誰來了？」我高興得喊。

她回頭看見了我，驚奇得睜大了眼，扔下雞食，迎奔過來：

「是你！眞想不到！好像在做夢！」

「我也想不到。」

「爲什麼不先寫信？李新剛好去台北了。」

「我是臨時決定的，」我慢條斯理的瞎說，「我本來跟他們到台中玩，便決定中途下車先來看看你。」

「誰？跟什麼人到台中？」

「還不是我教家館那家的親友們。」

「哦——又是他們！」美惠挽起我的手臂說，「就不要去台中了吧！就在這裡，嗯？」她搖晃著我的肩頭。

「讓我想想合適不合適，我跟他們倒說的是活話。」我這樣說，就是給我猶豫不定的心情一個餘地，我爲什麼要這樣？

這裡的確是個可愛的地方，看遠處，綠油油的一片，心情爲之開朗，眼前，我們是在瓜棚底下。美惠比在台北健康多了，幾乎已經恢復到原來的樣子，雖然清瘦些，但是這樣反而更動人了，像一個婦人——一個不能生育的婦人。

他們的生活，一定多半是在這瓜棚底下的，因爲這裡放了方桌和各種椅子，很像西洋家庭畫報上家庭布置的一種。

「要能在你這兒住一個時期，一定舒服極了。」

「我一直惦記你和媽媽有一天要來。」

「會來的，暑假不遠了。」

她帶我進屋去。她換衣服，梳洗，我把給她帶的書拿出來。對了，媽媽給她縫了兩件無領上衣，昨晚趕做出來，我也帶來了。

「這都是你的。」我說。

「咦？你不是說臨時決定下車來的嗎？怎麼還帶了東西來？」

「我不是在車上臨時決定的，而是昨天在家裡臨時想到，和媽媽商量的。」

「噢。」話沒有什麼破綻，她不會起疑心的。

她在處理家事，一會兒走到這兒，一會兒走到那兒，我就跟著她，和她說話。

她有說不完的話：她的病後、她的學生、她的李新……說到她的病，她的心情還不能平復，忍不住的有些哽咽，但隨後就好了。

她在廚房點火要燒午飯了，我忽然想到柴油快車到達台中的時間，倚在廚房的門邊，看著炊煙發呆。

「小魚兒！」她叫我。

「嗯？」

「文淵還常來信嗎？」

「總短不了來信呀！」

「小魚兒！」她吞吞吐吐的。

「嗯？」我等待她的下文。

「我有一種感覺。」她盯住我的臉。

「什麼感覺？」

「你在戀愛？」

「喲！」我沒想到她問的是這句話，「跟誰戀愛？」

「跟梁家的一個親戚什麼的。」

「你怎麼會這樣想？」我蠻不在乎的說。

「是不是呢？」她盯住我問。

「讓我想一想，」我做出開玩笑的樣子，「我跟他們之中的哪一個戀愛？」我把食指指著頭額。

「那麼，也許他們之中有一個在追求你，」她更正的說，「梁家一定在替那個人拉攏。」

「這倒是想不到的事。」我笑了。

「我料想得不對嗎？」

讓我怎麼說呢？我到新竹來，一半固然是爲了和他同行，但下意識中也有想找美惠傾談的意思，心中常有一些東西要跳躍出來。但是美惠問到它，我就又不得不隱瞞住了，如果她疑心的是梁家有個親戚在追求我，那，也好，所以我說：

「我怎麼能對你做肯定的答覆？」我這句話眞滑頭。

我替她摘洗青菜，她的鼻尖冒著汗，臉上紅撲撲的——臉上脹紅了，必定有要緊的話要講，那是她的毛病。可不是，她抹著汗說：

「我和李新談過好幾回了，我們說，不應當再勉強小魚兒和文淵了，如果他們倆實在不可能的話……。」

我靜靜的聽著，青菜下到油鍋裡，吱啦一聲，震了我的聽覺一下，有句話沒聽清楚：

「……希望你能找到你合意的對象，愛情不是可以勉強的。」

「好像你對小魚兒放生了。」我開她玩笑。

「是的，給你一條生路，免得你痛苦。」

「但，也許我走的是死路。」美惠沒理會我的話，我又說，「那麼，你們對文淵也要做同樣的表示啦？」

「聽由你們自然去！」她也笑了。

「我也有一種感覺。」我幫著把盤盤碗碗端到瓜棚下的桌子上。

「什麼感覺？」她問我。但我等她忙進忙出坐穩定了，才說：「爲了文淵，你們丟棄我。」

「我也要問你了：你怎麼會這樣想？」

「聽由你們自然去！哼！這是你說的。」

「壞東西！」她笑了，舉筷子要打我。

我閃躲開，笑說：「好了，咱們不談這些，我很煩悶，才來找你的呀！」說這句話，我心裡在滴血。

我的食量很好，原因是我從清晨到現在才吃東西啊！

午飯後，她不要我幫著收拾，那我就獨自躺到她的床上休息了。

小白貓也進來，輕輕地跳上凳子，跳上床，倚到我的胸前來聞我。

「知道我是小魚兒，你就來聞我，是不是？」我拍拍牠，牠就咕嚕咕嚕的，發出表示好感的聲音來了。我慢慢摩挲著牠，在催眠的蟬聲中睡去，……又從驚人的汽笛聲中醒來。

我睡得很沉穩，很舒服，到了至人無夢的地步，最後害在這聲汽笛上。

「這裡離火車道很近嗎？」我睜開眼問美惠，她大概在改學生作業，好像沒有午睡。

「遠著呢！祇是因爲廣大的田莊，聲音沒有阻礙，就劃空而過的傳到這裡來了。」

我把兩手背在頭後的枕頭上，回憶著剛才的汽笛聲，想起了什麼，我說：

「火車的汽笛聲使我想起了一部電影，不知你看過沒有？叫做《芳華虛度》。一個少女耽誤了一場婚事，等到她追到火車站去，汽笛長鳴，火車已經載著愛人遠去了。若干年後，她又無意中再遇見那個男的，他已經和別人結婚了……」

美惠竟然停止了手中的工作，把筆咬在嘴裡，斜過頭來靜聽著。

「後來呢？」

「後來呀！他們還是結合了，但她反而做了他的外家，雖然生了孩子，卻不能公開露面，所以，每逢聽到火車的汽笛聲，她都會戰慄不已，因爲它成了一種痛苦的記號。」

「就像剛才那聲劃空而過的汽笛？」

「就是。」

她回過頭去，繼續她的工作，我無聊的拿起床頭一本雜誌，翻開來，找可看的文章。

我看了幾篇文章，視若無睹，因爲它寫的是甲午的歷史等類的東西，時代離我太遠，不能引起興趣，倒是翻到最後一頁，看見了行車時刻表。

是的，我早晨是坐的八點二十分的柴快車，九點二十就到了新竹。他呢？十點五十六到台中。下一次到台中的車呢？車次多極了，在台灣交通眞便利。柴油特快，十三點半的已經過去了，十七點五十五分——就是五點五十五分，我看了一下手腕上的小圓錶。嗯——我猶豫著，美惠忽然對我說：

「等我改完本子，帶你逛風城。」她頭也沒抬地說。

「聽說這裡有個城隍廟。」我慌忙地抓了句話。

「是的，說逛城隍廟，不如說到那兒去吃點兒什麼。」

「嗯。」我瞎答應著，再繼續看時間表——二十點三十分，就是八點半，有趟快車，二十二點五十——就是十點五十，到台中。

我的心劇烈地跳著，不能忍受，把書闔上，放回床前的小几上。美惠這時站起來了，她深深地舒了一口氣，表示工作完畢的輕鬆。我呆望著她。

她一回頭看見我在發呆，舉起一疊本子笑笑說：

「我對孩子的寄望，也就在此了。當然，我還得寄望於你！」

「去你的！」我噘起嘴罵她。

「去洗個澡，我們出去走走吧？或者你願意等晚上臨睡覺再洗也可以。」

「不過——」我不由得吞吐其詞，內心掙扎了一下，還是說道：「我寧可現在洗。」

洗浴出來，全身清爽，非常舒服，看看錶，四點多了，這時太陽的威力也已大減，暑氣全消，宜於蹓馬路了。

我們順著美惠住的寂靜的市區邊緣向市中心走去。新竹才多大，我們邊說邊行，不知不覺就繞到車站的附近了。

「新竹有什麼土產可帶的？」我隨便問美惠。

「新竹白粉，要不要搽？新竹餅，要不要吃？」

我心在想別的，全沒有答理她，祇是瞎搖著頭。

「倒是有一樣東西可以帶給你的小朋友，藺草紙和藺草稈。」

「它有什麼用？」

「它白得可愛，代表純潔。」

美惠帶我去買了一些這玩意兒。又去城隍廟拜見城隍，我們東一攤，西一攤的嘗吃著各種本地點心。美惠說我們是在吃流動食，這是住醫院學來的名詞兒。繞到火車站前，已經六點多了。暮色蒼茫中，又聽見火車尖銳的汽笛聲，我倆都不由得向車站望去，美惠笑說：「痛苦的記號又在響了。」

我這時不知哪兒來的一股衝力，立定腳步，竟然說：「美惠，我還是得去台中，今天。」

她對這突然的提議吃驚了：「咦？」

「你看，」我恢復鎮靜地說：「他們本來要我坐五點多的車去。」

「五點多，已經是過去的事了。」

「可是還有八點多的呢！」

「你多使我失望！」她的孩子氣來了。

「如果我根本不來呢？」

「但難得的是今天李新不在家。」

「那又有什麼關係？」

「我們可以愛怎麼談，就怎麼談。」

「我不久還會再來。」我將手搭在她的矮小肩頭上。

她有點兒不愉快了，默默地走了幾步，終於展開了笑容。「去吧，你有你要去的心情。」

多麼可怕的心情！

但願我沒有這種心情。早上在車上看的書中怎麼說的？「當你愛某一個人的時候，你不會無論哪一刻都愛他，也不會總是一樣地愛他的。這是辦不到的事。假使有人裝佯，說他會，他就是說謊。」——然而，要我在這個時刻擺脫開這種心情，是不可能的。

那麼，讓我像根燃燒的蠟燭，別故意去吹，讓它自己滅。

八點半的車，準時的開了。我有點恐懼，他會不會厭惡我的纏磨？不要緊，到那時候，我會向他述說，這無可倚賴的心靈，請他收容。他不是也說了他會等我嗎？

出了站，火車直向黑暗駛去，尖銳的笛聲，一下下抽打出來，這麼殘忍。

兩小時以後，我已經站在虹山旅館的門裡。

伏在櫃檯上打瞌睡的女孩子告訴我說，二〇六號就是二樓的六號房間，她睡眼惺忪地指著身後的樓梯。

虹山旅館的確安靜，大概它離鬧市較遠，所以生意清淡，旅客牌上稀當當的，但建築很好，看著高尚。

我邁上瓷磚的樓梯，心中一無所思，專心記住「二樓六號」這個號碼。我希望走一段高高的樓梯和一條長長的甬道，好讓我心裡準備一下，但是六號已經到了！

奶色的屋門，釘著黑底白字的「6」，屋門上面的通氣窗透出燈光，有人在屋裡。

我猶豫著。但我有什麼可猶豫的？立刻伸手輕輕地敲了兩下。

「請進。」是他的聲音，但像從遠處發來的。

我推開門進去，再關上，仍靠門站著。他正倚著露台的門邊。燈在床旁，我這裡是暗的。我的貓步一定使我像個幽靈，我不由得舉起一手理順我的可能零亂了的長髮，然後，手停在後頸上。

剎那間的遲疑，他才吃驚地輕喊：

「雲！」

「我還是來了！」我無奈地說，不知道自己是不是在慘笑。

「你怎麼——」他說了半句話，放下手中的什麼東西，帶著疑慮的眼神向我走來。可怕，又可愛。他沒有穿上衣，白背心外露著健康膚色的寬肩。我這麼纖弱，等著他過來責備我。

他走近來，接過我手中的提包，扔到門邊的椅子上，我仰臉目不轉睛地看著他。想不到他說：

「你一定累極了，看你的臉色！爲什麼這樣……這樣晚還跑來？」

但他卻挪開我壓在後頸上的手，把頭埋在我的頭髮裡，深吻著我的頸。我知道他會想我的！他的頭髮散發出使我迷惑的氣味。

「我爲什麼來，你知道。」我的眼淚又要流出來了，我眞累極了，這樣的尋覓。

「剛才站在露台上看星辰，還想到了你。」他半天才抬起頭來說。

「所以我就來了。」

「不是，」他搖搖頭，「我很不放心你。」

「爲什麼？」我不懂。

「逃學的孩子，早晚要被捉回去。」

「你不知道逃學的滋味嗎？先是有了動機，跟著是恐懼，勇氣，竊喜，歡樂……」

「最後是毀滅。」

「卻是歡樂過了。」

但是我也的確疲憊不堪，腳發脹，在新竹的街上走多了路。我脫下鞋，提起它，赤腳走到沙發前，把自己扔下去，閉上眼睛。

這一天是悠長的一天，奇異的一天，掙扎在尋求歡樂與毀滅的一天。

我聽他叫來女服務生，吩咐她再訂下隔壁的房間。

但我根本沒有過去。

十三

從露台看下去，是一片園子，紅色鳳凰木開得令人動心。這片園子要放在台北，還了得！但它卻靜靜地藏在這幢不引人注目的樓房後面。

朝暾初上，園子裡沒有完全被朝陽照到，露水還留在一些樹葉上。我梳理著我的長髮。每天都有幾絲髮離開我的身體，它們輕輕地從我的指間溜下露台去，扭兩扭腰肢，就無影無蹤了。

我倚著露台的石欄，返身拿通露台的玻璃門，做我的梳妝鏡。我把長髮編一編，高高的挽起一個鬆鬆的髻，我從來沒有這樣做過。鏡中照照看，這樣使我的頸項到肩頭，顯出很柔美的線條來。我顧影自憐，靠在石欄上半天沒動彈，快像一座石膏美人了。

他不像我這麼容易驚醒，好睡得很，聽說女人在這方面敏感得多，是嗎？

我看他的身體在翻動了，便返身向著露台外面，不去看他。我希望這時有一群白色的鴿子，響著牠們的哨子從蔚藍的天空上飛翔過去，打破這裡的寂靜，並給我一些平和的感覺。

他起床後並沒有先到我這邊來，而到盥洗室去了。過了一會兒，我聽他回到屋裡來，不斷地走動著，一定是在整理這、那的，爲什麼不到露台上來呢？要穿著整齊才敢見我嗎？

「思敬！」我忍不住喊了，但身子仍向著露台外伏著。

他這才走出來，兩隻手臂支撐在我兩邊的石欄上，整個身子圍著我。

「我以爲你在穿大禮服呢！」我身子一動不動地說。

「差不多。」他這樣一說，我猛轉身看，可不是，他臉上刮得青青光光，穿了雪白的襯衫，結著領帶。

這是要出門的樣子，爲什麼？

他注視了一下我的嶄新的打扮，說：

「這樣的髮型，使你看起來像一個婦人了。」

他這樣健忘嗎？

「我已經是一個婦人了！」我的手指在石欄上畫著，幫助我說這句話的力量。

他沒有說話，輕快的給我嘴唇上一個歉意的吻。

「我們要到哪兒去？」我整理他的領帶問。

「我到省府去找人辦事，你留在旅館裡吃早點。我辦完事，就去買車票，然後送逃學的孩子回台北。」

這樣嗎？我多麼失望，他不和我一起在露台上等鴿子了？但這怎能怪他呢？他來台中是處理他的事務，又不是陪我等鴿子的，他已經給予我很多了。

「也好，」我舐濕了我的嘴唇說，「我一個人看鴿子。」

「嗯？」他莫名其妙。

我冷笑了一下，「不懂算了！」

「我叫他們去買台中最好的燒餅油條來給你吃好不？在台北反而吃不到的。」

這算得了什麼呢！我未置可否。

他走回屋裡去收拾什麼，等一會兒，聽見他在叫：「雲！」

我走進來，到他的面前。他深望著我，說：「又不高興了嗎？」

我沒有講什麼，他把我拉近他，我就乘勢將頭埋在他的胸前，偎依了好一會兒，才放開他。

他又輕輕地叫：「雲！」

「嗯？」

他好像要說什麼，但始終沒有說出來，也許我知道他的意思，他正想到什麼，乾脆由我來說吧！

「思敬，你是想到關於歡樂後的毀滅的問題，是嗎？」

他兩手撫摸著我的兩肩，什麼也沒說。

「你去辦你的事吧，放心我好了。」

我這時忽然發現，我在每要做一件事以前，是恐懼的，而他卻在事後。我做了，就不在乎了，他在乎的。這是因爲他的年紀使他這樣，還是他的遭遇使他這樣呢？

我要讓他放心，所以我輕輕把他推出去，說：

「就去叫他們給我買台中第一流的燒餅油條吧！」

一夜之間，我成長得這樣多！

我獨自留在旅館裡了，索性搬一張藤椅到露台上來，我喜歡這塊地方。

小女孩送來點心和今天的報紙，我不管她會怎麼想我，我已經這個樣子了。我眞爲我的膽量驚奇。

我忽然想到了媽媽，除了媽以外，我不對任何人抱歉疚的心，連美惠算上。林教授昨天有依約前往嗎？但願媽媽過一個愉快的星期日，希望家裡充滿了客人，不是正好李新也到台北去了嗎？一定會到家裡去的。

我好像已經看見了家中的情景——燈旁繞著菸霧，敏姨不講公德，嗑了滿地的瓜子皮，拉琪在客人的腳底下鑽來鑽去，牠是人來瘋！媽會驚奇的對李新說：「看，雲兒正到新竹去找你們哩！」「那我今天趕回去！」李新會不會這樣說，這樣辦？

然而世間沒有一個人知道，星期一的早晨，我獨自在台中旅館的露台上坐著。

在台北的他們都去上班、上學、教書了，連拉琪都負著看家的責任，祇有我這麼閒蕩。英文打字一定要去學，使生活過得充實些，有意義些。不要像現在的我，無聊到在修指甲玩。也希望媽媽和林教授能挽回他們的感情，如果由於我的努力，我想會很快的。

但這裡眞是一個舒服的地方，這家主人爲什麼願意把這樣的地方開一間生意清淡的旅館呢？看，露台下面有人在走動了，原來這裡還養著一隻猴子，小女孩正和猴子逗著玩。像這樣的地方宜於做什麼？做一個有錢人的別墅，或者外家什麼的，啊！我爲什麼這樣想？

我站起身活動活動，小女孩抬起頭來看見我了，她向我笑笑，指指樓下的門口：「回來了！」當然是指思敬。

思敬是這裡的熟旅客了，那麼，她拿我當成他的什麼人呢？

果然他回來了，進門先脫上衣，解領帶，小几上還擺著我吃剩下的點心，他拿起一根油條來吃。

「事情辦好了？」

他好像餓得祇要吃，顧不得說話了，就是點點頭。

「眞快，已經省政府打來回了？」

「幾點了，你不知道嗎？但我早晨忙得什麼也沒吃。」他看看錶，「雲，我們坐兩點的車。」

「但我多麼願意長久住在這裡。」我望著鳳凰木，不勝惜別地說。

「我也願意，」他用手帕抹抹嘴，走到我的身旁，也望著露台下的園林，說，「讓我們記住這個共同的願望。」

但這祇是一個渺茫的願望罷了。是樓下哪個房間的收音機扭開了，播出一段很熟悉的圓舞曲，我想不起名字來，但是我的腦海裡卻幻出一幕銀幕上常有的畫面——大廳裡客已散盡，一對舞侶還在舞著，舞著，三步的華爾滋，舞到大廳外，舞到園林裡，舞到鳳凰木下……

逃學的孩子終於被送回台北來了。出了台北火車站，眼前是熙來攘往的人群。中正路，還是那個老樣子，但我忽然對它陌生起來。我離開這裡很久了嗎？不，昨天早晨才經過這裡的，但它好像有一世紀那麼長，也彷彿經過了好多好多的事情，一切都改變了。其實改變的衹是我自己。

隨著人潮出站以後，我就一直朝前走，三輪車和街汽車在招攬生意我也不理會，心不在焉。

「你要怎麼走？」他跟在我的身後問。

「我急著回家。」

「那爲什麼不坐車呢？」他奇怪的問我。

「我是想坐公共汽車的。」

連我自己也不知道爲什麼要乘公共汽車，是在擁擠的車中，我們倆不容易成爲一個明顯的目標嗎？台北不能使我光明的和他立在人前嗎？

他也隨著我上了公共汽車，我小聲地說：「你走你的好了，何必……」

他瞥瞪了我一眼，大概嫌我多嘴。

這時正是下課和下班的時候，原是最不宜於乘公共汽車的。有一站，上來一群小鬼，都穿著黃卡其學生服，像載了一車蝗蟲，誰也不得安寧。他們笑著、擠著，旁若無人，我感覺到我的髮髻不妙了，趕快用手扶住頭。他也被擠得挺直了腰板，向我苦笑。

從車窗看出去，馬上就到我下車的站了，我和他擠到前面來下車。他原可以再坐下去的，但是也和我一起下來了。我們下車都舒了一大口氣。

「爲什麼你也下來了呢？」我問。

「我可以走回去，也寧可走回去。不過那群孩子眞快樂。」

但是他卻陪著我往我家的路上走。

「不知你的媽媽可在家？」他忽然問我。

「怎麼？」

「我是不是應當見見她呢？」

他眞糊塗，好像頭腦忽然不清楚了。我說：

「這個時候見她幹什麼呢？」我倒顯得急躁起來了。

他沉默了一下，才慢慢地說：「有些事情我應當負起責任來。」

我對於他這話的意思，似懂不懂，便說：

「以後找一個更合適的機會再說吧！」

這時已經走到巷口了，遠遠的拉琪的吠聲迎上來。

拉琪見了我們好高興，牠又撲向我，又去聞他，忙得了不得。我這兩天不在家，牠不知怎麼惦記我呢！忠心的小黑奴！

「你看，牠還認識你呢！跟你表示好感。」拉琪不斷的在他的腳邊繞著，聞著。

他不管這些，祇顧問我說：

「明天你什麼時候給晶晶補習呢？」

「仍然是上午吧，但是我今晚還要去你家一趟，晶晶的一些功課等著我批改。」

「那實在太辛苦你了，因此明天中午我要請請你。」他笑笑。

「爲了你的孩子，算不得什麼。」是的，晶晶不應該說是他一個人的孩子嗎？

「而且，我從新竹帶了一些潔白可愛的蓪草紙預備送給晶晶的。」

我們訂了約會就分手了，當他轉身走去，拉琪竟也跟著他的腳後跟跑，我喊：

「拉琪，拉琪，回來！」牠不聽，就算了，我一個人回家來。

媽媽這時恐怕還沒有回來，所以拉琪才在巷口這兒等待，也許牠跟思敬跑，本意還是要出去等媽媽的。

我伸手要把鑰匙插進門鎖裡，忽然覺得什麼不合適了，於是我的手又伸向頭上，把髮夾一一拆下來，捲成高髻的頭髮，立刻的散下來，又披到我的肩頭上。我不要讓媽媽看我改變得這樣多！

在黃昏的寂靜中，我悄悄地走進來。我離開家有兩個白天，一個晚上了，人世眞是瞬息萬變。我們總歸要變的，我能和母親在這裡待上一輩子毫無變化嗎？就是媽媽，她也說不定要變一變呢！

別的都是小事，目前的「天下第一大事」就是我要怎樣自圓其說？我進屋後，把手提包裡的東西一樣樣的拿出來時，這麼想。

蓪草紙和蓪草稈，我把它們打開來，這當然表示我眞正去了新竹，然而我要明白的是李新昨天到底有沒有來家裡，我才能決定我是否應當在新竹遇見李新？

我思慮得很累，把手提包略事整理後，便和衣倒在床上，打算瞇一會兒。我倒希望媽媽今晚是有個約會什麼的，那樣她自己行蹤不明，也就不會追究我了。我這打算，眞是一個壞女孩的打算，它的出發點就不良善。

我在似醒似睡的當兒，媽媽就回來了，我從床上猛的爬起來，奔到院中去迎接她。

夕陽還有一點點光，投射在那棵相思樹的梢頭上。相思樹，美風姿，它在晚風中輕輕地搖，母親從那下面走過來了。院中走道的兩旁，媽媽常常添些新的花草，早晨和日暮，她都要爲它們服務一番，她藉此勞動和思想，那也算是她的一片心園吧！

我出來就喊了一聲：「媽！」我的喊聲挺怪的。和媽媽一天半天的分離，不是沒有過，但是這一次我對媽媽有一種奇特的情感，我內心總有些歉疚，於是我的聲音也就不同了，媽媽是聽不出的。

「啊，雲兒你什麼時候到家的？」

我過去挨近媽媽的身邊，她比我矮多了，人家說，人種進步了，一代比一代高。但在這以前，我沒有這種感覺，是今天，我才覺得我長大了，還是年齡使媽媽退步了呢？因爲也有人說，老了，個子就會萎縮下來，像開過的花兒一樣。

「我是五點多到的，我去，正好李新到台北來了。」

「是嗎？他怎麼也不到家裡來？你走後，我還想起一罐霉豆子忘記帶去給美惠。」

啊！我放心了！我不必再擔心要怎麼自圓其說了。

我摟著媽媽的腰，和她一道進屋來。

「拉琪呢！」我喃喃地唸著。

「不要緊，牠會從籬笆底下的溝眼鑽進來。」媽說。

十四

我像趕集一樣，早上先到打字學校去報了名，定了學習的時間。他們一聽說是敏姨介紹的，非常優待我，允許我時間有伸縮性，並且給我一台最新型的打字機學習，它小巧、靈活、美觀。我想，學習起來也一定使人心情愉快的。記得媽媽有一年去學洋裁，她們給新進人員那架沉重的縫衣機，縫出來的衣服，線都攪在一起，媽媽回來一邊拆一邊剪，氣歪了！

我又去買了一束打字紙，回家來取了晶晶的作業，就趕往梁家去。

走過了大橋，我才發現拉琪搖著尾巴跟著我呢！

「回去！」我轉身停住喝牠。

牠斜頭眨眨狗眼兒，並不動彈。

我又跺了跺腳喝牠：「回去！聽見沒有？」

但有小孩子圍過來看熱鬧了，我覺得太惹人注目，便衹好放棄趕牠，隨牠跟著好了。

我心想：拉琪眞可惡，昨天跟思敬跑，叫牠「回來」，牠不回來；今天跟我跑，叫牠「回去」牠又不回去了！也難怪，我這些時很少親熱牠，所以牠有機會就黏住我不放了。牠也像我一樣，跑野了心了。急著學習打字，就是爲了要收斂收斂自己。

到了梁家，我總算喝住牠了，叫牠留在大紅門外等著。梁家沒有養狗，一定不喜歡這些，而且牠亂撲亂跳，晶晶也許會害怕。

晶晶正在玩弄我昨晚給她帶來的蓪草紙，她用水彩顏色在上面畫，很專心而有趣的。

梁太太過來了，她慈愛地責備晶晶對我說：

「叫她等考試完了再玩，她偏不，昨晚你拿來，畫到現在不歇手。」

晶晶嬌憨的笑了，我也祗好說：「早知道不買給你了。」

「在什麼地方買的？愛畫下次給她多買點。」媽媽問。

「從新竹買來的呢！」

「啊！你到新竹去了嗎？」媽媽微笑地問。

「是的，去找同學玩。」我無所謂的回答，一面半強迫的幫晶晶收拾起畫筆顏料等物，開始我們的功課。梁太太把晶晶的這些東西拿走，並且說：

「晶晶和爸爸一樣，喜歡亂畫。」

「梁先生也畫嗎？眞想不到。」我應答著，想起那改了行的窮畫家來了。一念之差，可以影響一輩子的，他改了行，娶了老闆的女兒，生活完全改觀了。有些時候，人生眞是奇怪！

「現在不畫嘍！」梁太太得意的說，「要畫嘛，就應當畫些中國山水畫多好，弄那些油彩，疙裡疙瘩，不知什麼東西，我不要他畫，我看不得那些畫。」

但不知這是哪年的事，她命令他放下畫筆的？

梁太太去了，晶晶這時也靜下心來準備功課。我對晶晶說：

「打算考上你志願的學校，我們一時一刻都不能放鬆時間啊！」

「媽媽說，考完了第二天就請我們到烏來去玩，有表姊家的人，還有老師你。」晶晶說。

「好的，我願意陪你們去。以後你去上中學了，我們見面的機會就少了。」

「你還可以來教我嘛！」

「你是中學生了，我教不了你啦！」我笑著說。

「哪裡，」晶晶不好意思地笑了，「那你到哪裡去呢？」

「我呀，也許學學打字，找個打字的工作。」我說著，也不勝依依，忽然覺得渺茫得很。記得在中學作文時，喜歡運用抒情的詞藻，常常糊裡糊塗的寫些「渺茫」

或「惆悵」的字眼兒，如今我才眞正感覺那渺茫的滋味兒了，原來是眞的這樣不好受。

忽然，阿蘭在院子裡「哎喲」地喊了一聲，跟著是「汪汪」幾聲狗叫，我連忙向窗外探視，沒看見什麼，狗又叫了，我才想起莫非是拉琪？趕緊跑了出去，果然是！這可惡的東西，不知從哪兒鑽進來的。

我連忙喊：「拉琪！」牠飛快地奔到我這裡來。

阿蘭手上拿著畚箕，大門開著，一定是阿蘭去倒垃圾，拉琪就跟進來了。

我說：「別害怕，阿蘭，牠是我家的小狗。」

這時梁太太也由側面的屋子出來了，她走到這邊來，看見我手中抱著拉琪，她「咦」了一聲。我覺得很不好意思，小狗吵鬧了她們，人家一定很討厭的。我又向梁太太說了一遍：

「是我家的小狗，牠非要跟我來。」

「哦，是你家的小狗呀！沒關係，我以爲是外面的野狗呢！」

拉琪被我抱在懷中，老實了，眞討厭！我手雖然摸撫著牠，是怕牠亂叫，實在我現在眞是討厭牠極了。

梁太太笑笑說：「牠一定是常在外面亂跑吧？」

「不，除非是家裡的人，或者頂熟的客人，牠才跟出來。不然，牠是不會跑出我家巷口的。」

晶晶也出來了，她用鉛筆逗著我懷中的小狗，拉琪嘴叼著鉛筆的樣子很可笑，晶晶笑了：

「多好玩！」然後又轉向媽媽，「媽，爲什麼我們不養條小狗？」

「好呀！」梁太太慈愛地說，「你喜歡，以後弄一條來。黑狗很少有吧？牠黑得眞漂亮。」她又轉向我說。

「是的，黑得這麼漂亮的小狗是不容易看見的。您看，牠的毛，軟緞一樣！」我也得意起來了。

我抱著拉琪，毫無辦法，因爲我如果放下來，牠會在院子裡亂跑亂跳，那麼，我怎麼辦呢？

我對晶晶說：「晶晶，去做你的功課。」

晶晶從拉琪嘴裡抽出了鉛筆，進屋裡去了。我便又把拉琪送到街門外去，趕快轉身關上了街門。

我回到屋裡來，梁太太又在屋裡了。晶晶還在磨她的媽媽，要買一條狗。

媽媽笑說：「好好，等考試完再說。」

我也對晶晶說：「你今天的要求不少，反正一切的一切，都要等到考試以後。」我督促她背了幾題算術應用題的原則，直排種樹，四邊種樹，圓圈種樹，連我都快講糊塗了。

時光已經到了中午，廚房裡傳來阿蘭燒菜的香味。我想起了約會。我們的功課也差不多了。

阿蘭把炒菜勺打著鍋底噹噹地響，晶晶笑著說：「有一天，我家請客是叫的菜，飯館的大師傅炒完一個菜就這樣打，阿蘭也學會了。」

「那樣聽起來，會使人覺得那個菜一定是非常好吃。」

「眞的嗎？那麼今天你就在我家吃午飯。」

「不！」我連忙說，「我是說著玩兒的。」

「媽！」晶晶不顧我的答話，「爸爸怎麼還不回來？」

梁太太正在客廳的沙發上半躺著，拿一塊薄荷錠在她的頭額上來回擦著，這種情形像媽媽一樣，媽媽是虎標萬金油的老顧客，她們都是頭痛專家！

「你爸今天不回來吃飯。」梁太太無聊地回答。

晶晶很高興地說：「看，爸爸不回家吃飯，你就在這裡吃吧！」

「不！」我依舊這樣說，「我一定要把討厭的拉琪帶回去。」

晶晶很失望，她撒嬌地噘著嘴、搖著身體。「哪——不來的啦！今天什麼都不答應我！」晶晶眞可愛。

我走出來，經過客廳，梁太太正吸著一支菸，在發呆。她很少吸菸，今天怎麼透著這麼無聊。

天氣很熱，我又沒帶傘，太陽的位置好像很低很低的，壓榨著我。這樣氣悶的天氣，下午非得悶出一場暴雨不可。

雪樓的情調最好，思敬和我都喜歡這裡，它是從一家委託行的旁樓上去。他在靠窗的沙發座上等著我呢！別的座位也有些客人，但是靠兩面牆的都是高背的火車座，各歸各，也比較暗，就誰也不注意誰了，反而是靠窗的三張桌子在明亮處。

高大的玻璃窗，可以清楚的看到樓下的街道，我坐下來，就探身向窗外看看。他說：

「我看見你從對面街上走過來。」

「看行人是很有趣的。」

「看著你身後的肥裙張開，那過街來移動的姿勢很有趣。使我想起小時候，把一種棕製的人型放在銅盤子上，用小棍敲打盤子沿，小人型就在盤中移動了。」

「就像我過街時的樣子？」我笑笑。

「它不過使我聯想起幼年罷了。」

他還很少很少跟我談起幼年呢！就是幼年以後的事情，我又知道多少？

茶房過來了，我們要了些簡單的菜，這優美的環境，不是引人想饕餮一頓，像阿蘭大敲鍋底的那種，而是宜於安靜的隨便吃著、低語著的那種情調。

所以他很高興，他說：

「昨天回家，一切都很好吧？」

一切，不知包括什麼？但是我仍然回答他說，「一切都很好。」的確一切都很好。

「你家拉琪昨天一直跟到我家來……」

「跟到你家去？」我禁不住啞著嗓子驚喊了。

「你覺得奇怪嗎？」

「你再說下去。」

「牠在院子裡玩了好一會兒。」

「晶晶喜歡牠嗎？」我已經不自然了。

「晶晶那時還沒下課。」

「那麼——你自己跟牠玩了一會兒？」

「是的，」他奇怪地看了我一眼，「牠見了晶晶的媽媽就汪汪叫，她本來就不喜歡貓啦狗啦，牠還偏咬她。」他好笑的說。

我放下了筷子，因爲所有的菜，忽然變得沒有味道，優美的氣氛消失了。我不能不探問：「你說了是我家的狗嗎？」

他搖搖頭。

「那你說是哪兒來的呢？」

「我哪裡也沒說，我爲什麼要說？也沒有人問呀！」

「後來呢？」

「後來玩夠了，我就說：拉琪，回去吧！誰又知道我說的是回哪兒去！」他還得意呢，像個孩子似的。

我想到剛才我走出客廳時，她吸著菸的神情，也想到她乍看見我手中抱著拉琪的驚奇，以及她那麼不動聲色的打聽拉琪的情形。她眞沉得住氣，難怪人家說她是一個很厲害，很有辦法的女人。但是我要不要講一講今天的情形給他知道呢？算了吧，不要打破我們這時的氣氛，雖然其中的一半已經是被擊破了，但我還是舉起了筷子，茫然的向盤中伸去。

「你好像又不太舒服了？」

「還好嘛！」我勉強地笑應著。

我也許用不著這麼多慮，祇當我一無所知不就完了嗎？而且，我深深地想到了，我和他的情形，終有一天會暴露在衆人之前，祇是遲早的問題，無論是我的媽媽這方面，或者是晶晶的媽媽那方面。我對於來日毫無準備，他也還沒跟我談起，我們是不是應當談些什麼呢？

屋裡暗下來了，那是因爲天已經陰了。茶房把桌子收拾好，玻璃磚桌面下壓著菜價表，我就斜著頭看，因爲那是向著另一方面的，其實那上面是什麼字，我根本是視若無睹。

「還要點菜呀？」他笑問我，直看著我的臉。

「我不過隨便看看。」我無聊地回答，然後仰靠在沙發背上發呆。我不是怕什麼，而且覺得心情有了負擔了，沉重得很，所以我不想說話。腕上套著一根橡皮圈，我拿下來拉著，想把它拉斷，等一撒手彈回來，打得手指好痛。

「在想什麼？」

「嗯？」我茫然地看著窗外，「我在想，會不會有一場暴雨。」

是的，說著大雨點就斜打到廣大的玻璃窗來，但祇幾點兒，就停了。我索性斜過身子靠著玻璃窗看行人，人們正匆忙趕路。我爲打破寂寞，別讓他看出我的不自然，便笑說：

「你看，下面的行人，好像是你加緊敲那銅盤子沿，所以他們移動得那麼快！」

「是嗎？」他也湊近窗口看。

雨又落了，這一次是緊鑼密鼓般的下了，行人在跑，有的過街來，有的過街去，形成一幅很有趣的畫面，如果拍攝，或是素描下來。我曾看過一幅油畫，記憶很深，題名是〈雨街〉，黃昏而落雨的街道，有路燈照著，人在雨中都成了細長條，畫者塗的是更濃的黃和黑兩色。現在我眼中所見到的雨景則是灰白上有各色的點子，這大概是我從上面看下去，寬大的柏油路面做了背景的關係。繪畫是一件很有趣的工作，爲什麼他要放棄它呢？

因此我想起了《珍妮的畫像》。

「《珍妮的畫像》，你看過沒有？」我忽然問。

「你說的是一部電影，還是一本書，或是一幅畫？」他玩笑的問。

「是一部電影，也是一本書，或者一幅畫。」

「那麼，我都沒看過。你眞容易想起這、那的。」

我笑笑，的確是。

「像你那天講的，一個人看鴿子的事，我到現在還不明白是怎麼回事。」

「鴿子？噢！」難得他還記得，「那是不相干的，我想到哪兒就說到哪兒。」

「那麼這幅畫，或者這部電影——哦，我也想起來了，是不是講一個窮畫家和一個來去無蹤的女孩子的故事，我想起我看過這個電影。怎麼使你想起了它？」

「我很喜歡那個情調。」

「它和我們現在有什麼關係嗎？你一定又想到什麼了？」他拉起我的手，緊握著。

我看大雨落下，沒有答覆他。他玩弄著我的手指。如果他是一個住在閣樓上的窮畫家，而不是一個工商管理者，我們的情形又是多麼的不同。閣樓上的光線是仰仗屋頂那排天窗的磨光玻璃透射進來的，那飄然而來的珍妮，出現在閣樓上了，他們同倚在窗邊，看白色的鴿子飛過蔚藍的天空。也許她又黯然引去，不留痕跡。那個情調比在雪樓看雨街美多了。但那既不是過去的事，也不是未來的事，就像珍妮一樣，時間是模糊的。

我回到現實中來，眞是不勝惆悵。我們是生活在最現實的環境裡，因爲他不肯做畫家，所以許多事都變得不同了。

「雲！」他搖著我的手。

我祇顧呆望著窗外的大雨，很想跑向雨中去，我是與眾不同的，我不願意躲雨。他懂得我對於《珍妮的畫像》的感觸與聯想嗎？

也許他知道我的沉默是爲著些什麼的，所以他低聲說：

「雲，記得我們在台中的共同的願望嗎？」

共同的願望？是的，虹山後園的鳳凰木，給我惜別的情緒，那是一生中衹有的一天，可不是嗎？每個過去的一天，都不能再來的。

「我在打算著，我們一定要達到那個願望。」

廣大的玻璃窗被雨花濺滿，景色都模糊了。

十五

我確實是多慮的，晶晶的媽媽並沒有因爲拉琪的出現而表示過什麼，她對我仍是一如往日的親切和關心。就像她一向的交際手腕一樣，無論她在電話裡，在和朋友的交談中，都是分寸必守。我從沒有看她給過人難堪，這是她一貫的作風。而且一隻小狗，又算得了什麼，哪裡值得她掛在心上？狗的兩次出現，不過是巧合，她不至於那麼小氣的把它們聯想在一起的吧？

一個月來，我上午學習打字，下午給晶晶補習，晚上又念念英文，時間排滿了，因此和思敬也比較少見面，但是我們仍熱愛著，我想克制自己，很不可能，他也一樣。

將來，是一個模糊的遠景，雖然他說過，他一定要達到那個共同的願望。但這是他說的，並不是我的提議。他既然近來沒有再度提起，我又何必追問他，因爲明知那是一件困難的事。

我的燃燒的蠟燭，去了一大截了，燭芯太長，光常搖晃不定，有時就得剪一剪，就像我近來的身心，都感覺疲憊起來。我疑心每天的工作多了些，畢竟我不能和完全健康的人比吧！心也時時被莫名的不安所充塞，也許心與力是交關的，力疲，心就乏，所謂心力交瘁，就是這個現象吧！我要不要到防治中心再去檢查一次呢？雖然現在不是我例行檢查的時期。但是生理的另一種現象，也很使我奇怪而不安。

晶晶的功課，也是使我費盡心力的一項工作，好容易她昨天考試過了，我們都鬆下了心。

晶晶的媽媽履行她的約言，考試一完，就帶晶晶和一些親友到烏來做一次安慰的旅行。今天，是個好天氣，但是我躺在床上硬是癱軟著，起不來。

媽媽來催我了：

「雲兒，還不起嗎？幾點啦！你別忘記和你的小朋友去旅行吧？別讓人家等你。」

我趕快的從床上爬起來，眼前有一剎那的昏黑。我支持住了。這大概是起猛了，而且我躺在這裡想了這麼多呀！

這是第一次，我毫無謊言的告訴媽媽，是眞正的和晶晶一家人出遊。晶晶的媽媽說，什麼也不用帶，野餐等等都由她一個人來準備。但是媽媽竟燒了一大鍋牛肉要我帶去。

「媽，你眞小器死了，我帶一鍋牛肉算怎麼回事，人家根本不注意這些。」我的語氣顯得急躁了些，我很後悔，但已經說出口，還能收回來嗎？爲什麼我近來的脾氣總是帶著火氣，難道眞的我在下意識中是爲著某些事情不安？媽媽祇好把鍋子端回廚房去，我老大的不忍。我又要出去一整天了，林教授，他爲什麼不肯常常的來呢？

我提了較大的手提袋，穿上淺綠色的碎花紗衣裙。思敬說過，紗的衣服，有一種飄然的感覺，尤其是裙子。

「媽，」我追到廚房去，「我去了。」

媽才洗臉，她正把手巾蒙在臉上，我看不見她的表情，會不會爲了那鍋牛肉不痛快。

我們乘的是一輛旅行汽車，前後四排坐了五個大人和三個孩子，雖然這是一次慰勞孩子們的旅行。兩對夫婦是晶晶的父母和晶晶表姊、表弟的父母，還有一個我。

汽車經過景美鎭，便開始駛向坎坷的山路。夏之碧潭，丟眼而逝。從蜿蜒的山道向下看，一條新店溪盡落眼底。我們進入烏來鄉了，置身在鬱鬱蒼蒼的萬巒中，孩子們久久埋首在課本中的眼睛，這才算換了個目標，綠色使他們覺得新奇，所以都屏息無言地向著車窗外。大人們大概也被上山的顛簸弄得懶得說話了，車裡沒有聲音。我猛回頭，是要看後車窗外的塵土飛揚，但是和他的目光接觸了，他向我微笑了一下，彷彿有什麼高興的事，我趕快躲避開他，這時我被顛簸得想嘔吐了。我想向太太們要一些懷中法寶薄荷錠什麼的，但是沒有好意思開口，別顯得祇有我一個人這麼洩氣。

於是我轉向孩子們，說話打打岔也許會好些，我對晶晶他們說：烏來是高山族語「溫泉」的譯音。傳說是泰雅族的祖先，有一次從他原來住的大霸尖山到烏來打獵。他看見這裡的土地肥沃，南勢溪流域裡游著成群的魚兒，所以他心裡就想：這一定是一個耕作的好地方，便回到大霸尖山，率領著他的部下和家人移居到這塊新地方來。他們管這裡叫「溫泉」——烏來！

這是有一年旅行到這裡來時，一位台灣老師講給我聽的，我把它翻了版。孩子們聽得很有趣。我可是很難過，汽油的味道一直是我的敵人，我伏在車窗沿上，閉了一下眼睛。

「你怎麼了？」晶晶關心地問我。

「我嘛！」我掙扎地睜開眼，慘笑著，「我在想高山族打獵的生活眞有趣，是不是？」

「是的。」晶晶親密地挨近我，我伸手摸著她的肩膀，她近來也瘦多了。我想提考試的事；但是，算了，她會很擔心的，今天既是快樂的旅行，就應當把昨天的事暫時忘掉。

在萬巒中穿來轉去，彷彿轉進兒童週刊上的迷途畫中了。但忽然眼界豁開，前面是鐵索橋，我們停在橋的這邊。

南勢溪把烏來分成兩半，是靠這座鐵索橋的交通，遊客才深入山地，洗溫泉，聽瀑布，看跳舞。

差不多兩小時汽車的顛簸，還沒進山，已經塵埃滿身，頭昏腦脹了，平日我不是這樣的。

過了鐵索橋，便是一個小小的市面，我們一直向後面走去，到了乘坐台車的地方。

台車很進步了，有了藤椅的座位，但是我知道，坐在上面會使我又一陣昏暈，因爲鐵輪摩擦鐵軌的聲音，很難忍受，我希望能行走下面的土路，但是不便開口，孩子們已經搶著上去了。

這裡祇有一輛台車，被思敬帶著三個孩子坐上了，還得等待沒有放回來的車輛。晶晶的媽媽說：「算了，不要等了，我們走了去。」

「好。」我首先贊成，因爲這正合我的意思。

於是我們四個人就步行下去了。這裡是要到瀑布去的路，它好像就是烏來的盡頭，狹窄的山谷，陰鬱而無陽光。

我們漫步著，坐台車的人大概早到了。我原是和晶晶的表舅邊走邊談的，他問了我一些關於考試的事情。漸漸的，變得我和梁太太一排走了，她感慨的說：

「孩子們考完了，我也鬆下一顆心來。」

「是的，晶晶大概沒問題，她考得還不錯。」

「那，都要謝謝你年來的辛苦。」

「哪裡。」我不知道怎麼回答好。

「你爲了晶晶也瘦多了。」

「我原來就是個細長條！」我握握我自己的胳臂說。

「我應當好好兒地謝謝你。媽媽好吧？」她這突如其來的一問，不能不使人驚奇，她很少問到媽媽的。

「好，謝謝你。」

「她還在什麼——是什麼地方教書嗎？」

「是在學校裡做職員。」

「那也很辛苦的，要天天上班。」

「對了，職員不比教員，幾乎沒有暑假。」

爲什麼問得這樣多？這樣的關切？眞令人不安；但是她是很自然的，也許這祇是閒談而已。

「你呢？怎麼打算？——聽說你在學打字。」

「是的，沒有什麼可做的。」

「沒關係，學好了打字，我們公司也可以多用個打字員兒的。」

打字員兒，員兒員兒的，她是多麼驕傲呀！但她要把我介紹到他的公司裡去嗎？那可見她還不知道什麼。唉！究竟我們會怎麼樣呢！好在今後我和她每天見面的機會已經沒有了，讓它慢慢的演變吧！

山谷裡忽然響起隆隆的聲音，我們都停住了腳步，表舅說：「瀑布的聲音。」啊，是的，昨天下過雨，山水湍急，今天的瀑布一定非常「壯觀」，聽這聲音就知道了。

梁太太沒有再跟我談下去，我們已經到了終站。孩子們和他也已經在瀑布前的茶館裡占據了一張桌子。

兩藤箱的野餐展開了，豐富的食品，使我想起了家裡那鍋小器的牛肉，幸虧沒有帶來。

「在茶館裡看瀑布，是一種愚蠢的看法。」表舅這樣說。他是個風趣、朗爽、幽默的人物，如果沒有他們這一家來，就不知要多麼的無趣了。

孩子們每人拿著些零食跑出去，表舅也站起身，梁太太竟也說：

「你們都去罷，我和表舅母在這裡給你們弄吃的，我們是老太婆，懶得下去看，是不是？」她最後對著表舅母說。

這樣說，我和他就追上表舅，也到下面去看瀑布了。

瀑布的聲音，在沒有接近它時，聽來眞像是暴風雨前的雷鳴。走近它，展布在眼前的這條萬流狂奔的瀑布，像一條巨大的水簾從峭壁垂下。那聲音正像百雷齊鳴，震撼全谷。

抬頭看上去，四圍是千古不變的山姿，悠悠鬱蒼，巨巖怪石，在這深谷裡，會使人生出超塵的感覺。仰望蒼穹，不禁會向大自然發問，這千古不停的流水，究竟是從何處來？向何處去？這一切的歸宿又在哪裡？從四十丈高峭壁流下的水勢，沖打著岩石，激出雪白的泡沫、浪花，然後狂奔向下游去。如果我們不幸失足落水，捲入狂奔逐流裡……

腳底下是高低不平的怪石，我注視流水太久，頭微微的暈，便就近坐在一塊石頭上。每個聽瀑布的遊客，都被這震撼山谷的聲音懾住了，沒有一個人說笑，都直著眼睛，他們的心裡一定也像我一樣地癡念著什麼吧！

他本是和表舅站在一起看瀑布的，這時邁過幾塊怪石走向我這邊來了，他面向瀑布站住，我幾乎是坐在他的身後，祇能看見他的側影。

「雲！」他並沒有看我。

「嗯。」

「我被調到日本了！」他仍然沒有轉回頭，彷彿是在向瀑布報告。

這消息是令人吃驚的，它像瀑布的狂奔聲一樣地震撼了我的心。我一時沒說話，腦中忽然空了，不知在想什麼。但過了一刹那，我還是說了：

「你在這時告訴我這個消息，不怕我聽了失足掉進水裡嗎？」

「雲，」他突然轉過身來，坐在我對面的石頭上，探身面向著我，略顯緊張而興奮地說，「我是爲了要達到我們那個共同的願望而這樣做的。——雲，我是要你也去。」

「哦——」這才眞是可驚的事，他從來就沒有跟我談過有這樣一個計畫。

「爲什麼不說話了？」

「太突然了！」我說實在話。

這時晶晶過來了，她採了一把葉兒草兒的，當做寶貝般地交給我，又跑走了。

我們彼此沉默了一下，還是我問了：

「是你被公司調派才聯想到這個計畫的，還是為了這個計畫才要求被調的？」

「我思索了很久的計畫。」

「我從來沒聽你說過。」

「雲，不滿意我的安排嗎？我多麼渴望……」

「我一時不能想，它是不是很妥當。」

「我們將再詳細的談談，但你會很喜歡去看一看會是我們的敵人的這個國家，並且居住下來。」

「是的，我當然很願意跟你去看望晶晶的生母。」我不知道我怎麼會這樣大膽地迸出這句話來。

他奇異的望著我。我閉住了嘴，隨他看。他大概非常驚奇我怎麼能知道他的這一段往事，但他立刻恢復了原狀，並沒有探問我一句話，而說：

「不過——她已經死了！」

死了？這回是我驚奇了！但這個答話已承認我所衝口而出的話是不錯了，但也祇對了一半。我怎麼知道她已經死了呢？他要調到日本是為了我，並不是為那死去的人，我又何必懷著莫名的妒意，我抱歉地接了他的話說：

「那我就陪你去看她的墓。」

「我還不知道她的墓在哪裡呢，」他痛苦地慘笑著，「雲，有一天我會詳細跟你談這段往事，但不是現在，你答應我吧？」

我沒答覆他，也就等於默允了，我知道我們會漸漸談到一切的，因爲我們的關係已經這樣密切了。

我們倆同時站起來，向上面走去，因爲表舅、孩子們都上去了，我們當然也要跟隨著。

他攙扶每個孩子邁過岩石，最後輪到我，他在拉我的手時說：

「我本是預備明天找你談的，但今天就忍不住先說了。」

「那麼她知道嗎？」他明白我指的是誰。

「當然知道，而且——嗯，我是先跟她商量的，」他說著瞥了我一眼，「商量說由我來承擔公司這份工作。」

「但你說過她不喜歡日本的。」

「可是我並沒有說她也去，她當然願意留在圍繞著親友的環境裡。」

「她怎麼肯讓你去呢？」

「前途。」

他說了這簡單的兩個字答語，我也可以明瞭一切，她是以安排他的事業前途爲樂趣的。

已經到了茶館了。大家圍著兩張桌子午餐，每個人的食慾都加倍的增強，衹有我，懨懨的，怕聞到那罐頭沙丁魚、蔥油餅的味道，我衹揀了一塊三明治，是梁太太的拿手，她說這是中國式的，裡面夾的是一條酸黃瓜，一片攤蛋和一撮肉鬆。

乍聽見他調到日本去的不安的心情，這時好多了，但我仍說不出我對它是興奮還是恐懼。我也很想向他說一件我所疑慮的事，但，算了，當它還未被確定以前，何必多給他一個刺激。現在最主要的，是我要先把到日本的事詳細的了解一下，那要等到明天了。

她們都問我爲什麼吃得這樣少，我推說是太顚簸的行程倒了我的胃口。

走向歸程，這次大家都不乘台車了。當經過歌舞台的時候，滿臉刺青的山地女跳舞家向我們推薦她們的歌舞，但這時山谷更陰濃了，山雨欲來的形勢，使我們不能久留，便拒絕了女跳舞家的邀請。她們失望地回到她們的戲棚裡去，三兩個女孩子正跳給自己看，唱給自己聽，生意很清淡呢！

回到家裡，我來不及的奔向床上去，躺下來。媽媽過來了，說：

「看你，這樣洩氣，逛了一趟烏來，像打了一場敗仗似的。」

「難過死了！」我嚥口唾沫，雖然很渴，但不敢喝水，我的胃像是保存不住流質，總在往上冒。

「爲什麼難過？不舒服了嗎？」媽媽過來摸我的頭。

「不，不是，是累的。」我不注意說錯了話，趕緊改變語氣翻個身，爬伏著，讓一只枕頭頂住我的胸部，這樣還舒服些。媽媽幫我脫下鞋子，我就賴在床上了。閉上眼睛假裝睡覺，實在是禁不住要把他所告訴我的計畫，仔細地琢磨一番，雖然還要到明天，才能知道它的全部。

思慮是很累人的。我以爲會在漫想中漸漸睡去，但是反而越來越清醒了，因此又覺得思敬眞不應當在今天告訴我這樣一個消息。

我把閉了很久的眼皮張開來看，天快黑了。媽媽這時也進來，看我醒著，她便說：

「起來吃飯，洗澡，換了衣服再睡。」

「吃，我倒是在烏來就吃得很飽了，」我瞎說，「您自己吃吧，我再躺一會就去洗澡。」

媽沒有疑心什麼，就返身到外屋，自己在窸窸窣窣的吃了。

我不禁想，不知思敬的計畫是怎麼個計畫？他要我也到日本去，無疑是我們要在那裡共同生活下去，但是媽媽呢，他有否想到我的媽媽？想到我和媽媽是不能這樣容易分離的。我如果有一個好的歸宿——媽媽曾在給林教授的信中表示過，那時她才能放心地和我分離。

但這是我的歸宿嗎？算個什麼歸宿呢？一個跑到異國的女孩子，祇爲了追蹤她所愛的男人，她沒有名分，也不要名分，像當年她的媽媽一樣，啊！我和媽媽流著同樣的，私奔的血。

這樣說來，也許媽媽不至於反對我的行爲，因爲她曾是這樣的女人——她的女兒也和她一樣，是充滿了羅曼蒂克意味的女人！

這樣想著，我的恐懼的意念中又含了不少甜蜜的成分。如果媽媽反對我，我會很鎮定的說：

「媽，您忘記了嗎？您和爸爸的結合，意謂著愛情的眞正的價值。媽，別爲我擔憂那麼多，我已經長大了，把我交給他照管。您走您的幸福之路，我一直這麼衷心地盼望著……」

但這是我心裡的話，如果眞叫我有條有理地說出口，能行嗎？不過無論如何，我的的確確是面臨著一個即將變化的事實了。

我爬起床，人好像好了些。我站到窗前看看，外面的地上是濕的，原來下了小雨，早上出門時還是個好天氣，大自然的變化是無法預料的，一切未來的事都難料。我拿了浴巾走到外屋，媽媽已經吃飽了，在看晚報，戴起老花鏡，就著燈光，她真要老了嗎？

十六

曼莉並不太有情趣，它祇是清潔和親切而已。但是因爲它是我和思敬第一次訂交的地方，所以坐在這裡，心情就格外不同。

我用吸管吸著一杯冰可可，他問我一清早怎麼就拿冰涼的東西做點心，這很不合中國人的熱食習慣。他哪裡知道我近來胃如火燒，祇有拿冰可以鎮壓它，我幾乎整天在吃冰，奇怪的是這樣並沒有使我鬧肚子或得胃腸症。

我一口氣吸了大半杯下去以後，才對他說：

「我也不知道爲什麼，胃口忽然變得這樣了。」

如果他起了疑心再追問下去，我可能會對他講，我的生理或許已經起了變化。但是他並沒有注意這些。

他專心在研究去日本的事，不過他倒是說：

「你近來似乎更瘦弱了，到日本去，那裡有幾處名勝的地方可以住一住休養的，像熱海什麼的。」

「熱海，我知道。」我想起了一本書。

「你怎麼知道呢？」

「那裡的氣候比東京暖些，有一片梅林，到了正月過，梅花怒放。那裡還有翠綠的松杉，晴麗的天空，夢幻般的海濱……」

「好像你去過一樣，哪裡聽來的？你的爸爸或媽媽去過嗎？」

我搖搖頭。我對於日本一無所知，祇記得日本人來了，我和姥姥的生活無法維持，北平那所四合院宅子，才把南屋和廂房陸續出租的。還有麼，就是媽媽和爸爸是藉著日本人來的時機，到重慶去的。

「那麼為什麼特別對於熱海這樣熟知呢？」他仍是追問著。

「不過是一本小說的場面罷了！」我笑了，「熱海的景色，是在《金色夜叉》中讀到的，那裡正是女主角宮養病的地方，也是她和男主角貫一別離的地方。」

「我也讀過這本小說，那是明治時代的日本愛情悲劇。不過，熱海確是休養的好地方，無論冬日或夏日。」

我幻想著在那夢幻般的海濱，白天是艷陽當空，晚上是娟麗的月亮照著縹緲而無際的海，形成了微白的顏色，水浪打著海灘，緩慢而慵懶，那是多麼使人沉醉的月夜。我就會到夢幻般的那個地方去嗎？沒有親族，沒有朋友，祇有一個認識不到一年的男人陪伴在身邊？那眞是不可想像的。也許，我會在那海濱生下了我的夢之嬰兒？想到這兒，我的心卜卜地跳著，有些事情，我幾乎要脫口而出了，但還是留到日本再說吧。所以我答覆他說：

「我會很喜歡那地方，因爲它首先在我心目中，已經有了極富浪漫色彩的印象了。」

「我是在月底以前就要趕去的。」他嚴肅地對我說。

「那麼，別離就在眼前了。」

「短期的別離，可以增加我們再見面時的愉快。」他深情地望著我。

「但是我怎樣去和你再見面呢？」

「正是要談這個問題。但——先說另一件事，你的媽媽。」

「媽媽。是的。」我抬起頭，咬住我的大拇指。那是這件事的關鍵。

「她對於我們，可能諒解嗎？」

「我也不知道。」

「我很想見她一面談談，還是你先對她談？」

「讓我想一想。」我昨天已經想了一夜了，祇覺得難於啓口。但那也是非說不可的了，祇是時間的遲早。

「你走後，她會很寂寞，因爲她祇有你一個女兒，我不知道，嗯——我感覺到困難的就是在這裡。」

「那倒不要緊，媽媽也有她自己的打算，或許。」我這樣替媽媽下斷語。

他不懂我這話的意義何在，但也沒有再問下去，「那就很好。」他停了一會兒又說，「我到那裡就準備一切，然後寫信告訴你怎麼做，出境對於你不會太困難的，也許不到兩個月，你就來了。」

「去哪兒？熱海？」

他沉默不語，拉起我的手，摸撫著。

「雲。」他又輕輕叫我。

「嗯？」

「我很激動。」

「爲什麼？」

「爲了——爲了許多年來，我已經忘記這個軀殼之中，還有一個眞我的存在。但是遇見了你，我，忽然又跳了出來，所以激動得很。」

「但在我，卻常常覺得是個夢，不是眞的，總像我在追求那個夢。」

「別這麼說，我們要快樂地度過——」

「度過我們所能得到的日子。」我搶著說。眞的，它是架在熱海上的糖的房子，雖甜蜜，卻會融化消失。

「不要說這些。」

我們繼續談了一些步驟，他要我準備一些證明的東西，以備申請出境時用。我也告訴他說，等他到日本一切都準備就緒，我再向媽媽提出談論。我私心在想，在這短短的時期裡，我還要為媽媽設想一些問題。

我不是小孩子了，我一天天的不是小孩子了。

這時看看錶，已經離我打字的時間超過半小時，我要趕緊去。而且他也說，此後一天天的忙碌起來，因為公事要加緊處理，為出國，頭緒也很亂。

我到打字學校去。今天的手也不靈活了，它時停時打，心不在焉。熱海的景色總在我腦子裡打滾兒，那又是一個新的旅程了，在我的生命之帆上。

可厭的是指導打字的先生，偏偏今天總在旁邊指示我的錯誤。

匆匆忙忙地打完了字，我便收拾起紙張和書本，拿起遮陽傘走出學校向路底走去。

我茫無目的，不知不覺地走上了水源路。堤岸底下的許多人家正在午炊，再向前走，螢橋游泳場到了。正午的時間，游泳的人還不算太多，泳客經過一架橋到一片浮洲上去，聽說晚上這裡有人在唱歌。水被中午的驕陽照射得白茫茫的，懶洋洋的，連我也不由駐足略停懶得走了。

好像沒有多久以前的事似的，我第一次和他在這一帶散步，是個四月的月夜，輕妙的流水的聲音，拍擊著我的初戀的心，它一步步地逼緊著我，不顧一切，而到了今天。

今天！今天開始面臨到現實的問題了，它要一樣樣來解決，而不是一次可以解決的。比如我能到日本的問題解決了，媽媽的允諾解決了，跟著，不知道什麼時候，總還有一場最重要的是我和晶晶的媽媽之間的。我不可能永遠和他待在異國，晶晶的媽媽也不可能永遠不知道，而且永遠緘默的。

一步一步地走下去，是的，總得走，不管事情怎樣演變。自從聽了他到日本去的事以後，心情爲什麼這樣不安定？我的臨事恐懼的心情又敏感的發作了，我又得要以最大的勇氣衝破它。

我繼續走到川端橋的這一帶時，又停住了。因爲前面——陽光照耀下，使我看不清，但，那兩個人中的一個是媽媽，另一個並肩走著的是？啊，是她！夏文芳。

她們也看見我了，我們互相地走近來。

見了她——同父異母的姊姊，我們一向是彼此不大理會的，如果我和她招呼，那一定是我和母親在一道，母親總是和她應酬應酬，我就不能不順便點點頭。我難得討厭什麼人，但是我討厭她，這，我不要解釋，她就是使我產生這麼樣的心情就是了。

但今天她竟向我親切地招呼了：

「曉雲妹，好久不見了。」

我掀動了一下嘴唇。

「媽媽說你去學打字呀？」

「嗯。」

「身體好吧？氣色挺好嘛！就是瘦了點兒。」

我點點頭輕輕說聲「再見」，想先回去，一定是她來我們家，媽媽送她出來，就同走了一段路，因爲媽媽穿著家居的衣服，手裡也沒拿東西。

夏文芳這時也對媽媽說：

「那你也請回吧，改天再談。」

說著，她就和媽媽又唧咕兩句什麼，就和我們揚手道別，獨自走去了。

這時我當然得等著媽媽幾步，她走過來，我們並肩向回家的路上走。沉默了一會兒，我不由得發問了：

「她今天又是哪陣邪風吹來的？」

「她是來商量給你爸爸做忌事的。」媽媽回答我，臉色沉鬱，也許提到爸，使她不舒服。是的，就要到爸爸的七週年忌日了。但是我還是生氣的說：

「她向來也沒跟您商量過呀！今天怎麼透著這麼和氣！」

「她也是好意。」媽這麼說了後，又看看我手中的東西說，「有沒有帶錢？」

「有。」我舉起了小錢夾。

「那我們隨便買點兒什麼回去吧，我今天沒買菜。」

「也沒有上班？」我奇怪的問。

「是嘛！本來就起晚了，夏文芳又來了，說話說到這時候。」

我們一起到店裡買些食品，我和媽媽各人手裡提著大包小包的。

媽媽一路都不說話，無精打采地儘管低頭走路，她前兩天原就有些傷風，精神不振，昨天本已經好了的，一定是今天夏文芳拿爸爸的死刺激著媽媽，使她心不安寧。

走進巷口時，媽媽說：

「夏文芳和你教書的梁家也認識，她說。」

「啊——是的，我也知道。」

「你知道？我好像沒聽你說過。」

我冷笑了一下，「那有什麼可說的！」想起梁太太曾那樣不屑的問我和沈克康是什麼親屬，以及談到媽媽時的類似憐憫的口吻，夏文芳還不定怎麼對人家講媽媽呢！因此我恨得很，就不由得問媽媽：

「她說什麼來著？祇是有一次沈克康也到梁家去，走了碰頭，我沒注意他，第二天梁太太問起才知道的。」

「她也沒說什麼，也是閒說話說起的。」但停一下媽媽又問，「聽說這位梁先生要到日本去啦？」我聽了不免一驚，但隨即鎮定的說：「是的，我也聽說。」

我和媽媽便沒有再談這件事了，走到家門，我在開碰鎖。媽忽然把頭倚靠在門邊，眼睛閉著，用手蒙住前額，輕輕地呻吟了一聲。

「媽，你怎麼了？」我急忙一邊開門，一邊攙扶她。

「好了，眼發黑。」

媽媽年來有時會有頭暈的毛病，敏姨她們曾要她去檢查，但媽媽認爲這是小毛病，就散懶地拖延著。

我們進到屋裡以後，媽媽卻略感不能支持地說：「雲，你去隨便煮點兒什麼吧，我躺一下。」

我換了衣服，見媽媽已經睡熟的樣子，我替她輕輕蓋上了毛巾被。一定是早晨談多了，提起了父親，又在烈日下的水源路走多了路，才這樣的。給爸爸做忌，有什麼嚴重嗎？爸爸已經是死去多年的人，難道還要舉行一次盛大的七週年公祭會，藉著死人招搖一番？也說不定，她們是會這麼做的，所以母親才煩惱吧？

我拿了買來的麵條到廚房去燒午飯，媽媽怎知道我近來也很怕廚房的油污味兒呢！

我工作著，一邊在算計，還有最多兩個月就到日本了，那時我的體態會很明顯的變化嗎？不會的，注意一點就是了。我決定不告訴思敬，使他到日本後再驚喜一下子。我也不告訴媽媽，因爲那是很難爲情的。但是媽媽剛才問到思敬到日本的話，我爲什麼不接下去就此說明呢？唉，不是合適的時候還是不要說的好，尤其是在媽媽不舒服時，不要刺激她，因爲這是一件說服的工作，並不是像要到烏來或新竹去那樣簡單。

媽媽睡得昏昏沉沉的，她翻來覆去的轉動著身體，卻沒有醒過來。我想她下午一定不會去上班了，我應當去打個電話，替媽媽請假。

我自吃過飯後，一直是坐在臥室裡的書桌前，我以一本無名詩人的詩集來遣此漫長的午後，有時因爲思想不能集中，所以時看時輟。媽媽放在桌上的萬金油，我也不由得塗抹一些在頭上了。原來這塊地方就是禁不起思緒的纏繞，我塗了涼油以後，狠狠地捶打了兩下前額。

我既想到給媽媽學校打電話，便站起身，拉開書桌的抽屜，把小錢夾拿出來，又在抽屜裡找五角硬幣。

這時媽媽似乎醒來了，她夢囈般地長吟著，又咳嗽了兩聲。

我轉過身，她正睜開眼來看著我，忽然叫我：

「雲兒，上哪兒去？」

我還沒有來得及回答，她又焦急地說：

「別出去了，你，在我身邊兒吧！」

我走到床前看她，她臉有些發紅，頭上滿是汗，我揭開她身上的夾被，說：

「您睡熱了。」

「不熱。」她這麼說著，但我卻發現她的綢褂子滿浸著汗，濕透了。她不住的用床前備置的毛巾擦著脖子和臉。

「媽，您不舒服了？」這種現象對於媽媽沒有過，我也有點兒奇怪。

「心裡難過，慌亂得很。你別走開。」媽拉著我的手。

「我就是要給學校打電話替您請假的。」

「隨它去吧，這兩天沒有什麼大不了的事。」

那麼我就坐在床邊陪著媽媽了。

她擦了一會兒汗，臉已不那麼紅脹，不安的心緒好像鎮靜下來，才叫我替她拿衣服換。

我說：「要不要請醫生來給您看看？」

媽搖著頭說：「不用，不用，你看，汗出了就好了。不過，哪天倒也得去給醫生檢查檢查，近來頭暈、心悸、出虛汗常常這麼來一陣，那一陣眞是說不出的難過。」

她這一陣過去，果然好多了，我問媽媽要不要吃些東西，她說好，我就請她不要下床，我替她拿過來。

媽一面吃著我烹飪出來欠高明的燴麵，一面說：

「我近來更加怕噪音，恐怕心臟負擔不了吧？我願意靜靜的生活，不要給我刺激。但是上午夏文芳來了，說了那麼多的閒話，眞叫人不耐煩！」

我的心一動，不知夏文芳講的是什麼閒話？能牽扯到我和他的事嗎？但她又能知道些什麼呢？說不定——我想起來了，也許是她知道了媽媽和林教授的事吧？她是「包打聽」！但是媽媽何必怕這些呢？媽媽現在跟誰來往，不怕任何人，尤其不關夏文芳的事呀！於是我就不屑的說：

「咱們家的事兒，她管不著！」

「閒話聽了總是不舒服就是了。」

「如果媽媽是爲她說了閒話，出身虛汗，那才不值得呢！」

「是的，我不聽她的就是了，但願她是瞎說。」

媽軟弱地望著我，那眼光不同尋常，她眞是得去檢查檢查了。

十七

我安心了，媽媽的病，已日漸痊癒。其實，她並沒有什麼大病，經過醫生仔細的檢查後，斷定不出確切的症名。她雖然心悸，但是在心臟檢查測驗下也沒指出不良現象來。她的頭眼昏黑，不過是血壓略低，並不嚴重。這些現象，醫生給她一個極籠統的病名，叫做「更年期」，醫生囑咐她：寧靜平和的心情、營養豐富的飲食、充足無憂的睡眠，是度過女人這一段時期的條件。

母親承認這些，既然不是她所預想的那些可怕的病症，所以她也就一天天地好起來。想到那些對生命恐懼的日子裡，她是多麼失望地曾對我講過一些話。那天她精神好些，在我替她取藥回來後，她問我：

「爲什麼去了這麼久？」

「媽，我是到梁家看看的，孩子馬上就發榜了，她考上哪家學校，總是我關心的。」其實我確是常常藉了替母親辦事，偷閒也去會見他。離別的日期一天天地近了，雖然不久就會重見，但總是依戀地想去看看他，也爲了把母親的病況報告給他，他給我一些安慰，就往往能使我安心的回來。人是爲了獲得鼓勵而生活的，日日時時，有形無形的事物中都有「鼓勵」存在，不是嗎？

媽媽當時聽了也就沒說什麼，但停了一會兒她又問：「聽說你教的這個孩子，不是梁太太生的。」

「您怎麼知道？」

「是敏姨閒聊談起的。」

「是的，我也是在敏姨那兒聽來的。」

「男人眞是不可靠呀！」媽媽的感慨眞令人驚異！她是一個善良的女人，很不容易憑直覺去對人下評語的，所以我不知怎麼一股勁兒，表面是責備媽媽，在冥冥中卻是給他做有依據的辯護，我玩笑的說：

「媽媽，您不應當這麼批評他的，如果要講不可靠，豈不是爸爸是一個最不可靠的人啦？」

「跟你爸爸不能比，你爸爸和夏文芳的母親的結合，是憑父母之命，媒妁之言的那種舊式婚姻，一開始就是痛苦的，所以他由家鄉跑到老遠城市去讀書，做消極的抵抗……」

「那爲什麼跟夏文芳的母親生了好幾個孩子？」我不屑地輕撇了一下嘴。

「那是在沒有愛情下的。你爸最初也曾試圖盲目地去愛那個鄉下的無知的女人，但失敗了，於是變成越發的不能忍耐，在那種情形下，你爸的孤寂的心，倒更需要溫情，雲兒，是在這種情形下，我跟你爸爸結合的。」

我又笑了：「難怪！在沒有愛情的結合下，才產生出夏文芳那個怪物來。另外幾個您見過沒有？是不是也和她一樣飛揚跋扈？」媽也笑了，我又接著說：「您看，您和爸愛情結晶下的我，畢竟不同吧？所以梁晶晶也是很可愛的呢！可見男人在這種情形下，也不能完全說他是不可靠的吧？祇要了解某件事的眞實情況。」

但是媽媽搖搖頭：「但按說這位梁先生卻不應當發生這種事的，因爲他和梁太太的結合，究竟也是他自己願意的，我聽說。」

「我也這麼聽說，但是您如果看過他們夫婦，您就知道，怎麼那麼不配合！我第一次就有這種感覺，恐怕所謂的願意，也是出於當時的形勢所迫，而且那時梁太太畢竟還是個小姐，和他年齡的相差，不太使人有明顯的感覺吧！」

「總說，各種不正常的結合，也還是多多避免的好，因爲梁先生和梁太太的結合也不正常，所以才又發生另一件不正常的事情——又和晶晶的媽媽結合……我和你爸，雖然我們倆人很要好，但是所產生的後果和影響，總是討厭的，在這一點上，常使我……」

「使您後悔嗎？」我接了媽媽好像不知怎麼形容的話語。記得她給林教授的信中，說過她不後悔的呀！

「雖不能說是後悔，但有時煩得很。」

這是那天的閒談，我曾懷疑母親是有意的說給我聽，但也想那是無意的，因爲在我侍候病榻的日子裡，我們常這樣閒談，什麼都談。在平時，我們難得有這機會。如果母親爲了聽說了我的閒話，她會直接對我說，何必拐這麼大彎子？但在閒談中，我已經不時的介紹了思敬的爲人了，祇是別的話不敢吐露出來，醫生既然說她需要一個平和的心情，希望在她非常非常之平和的心情下，再聽我的要求吧！

今天，媽媽的情形更好了，她要到學校去看一下，說學校要發榜了，不定忙成什麼樣子，既然醫生沒說出她的病症來，算是休養也應當差不多了。我說我陪媽去學校看看，她也答應了。

我們到學校去，大家雖然忙碌著，但見了媽媽都高興地過來問候她，說她胖了或瘦了。她們也都和我開玩笑，說我怎樣的標致和不定有多少人在追求我的話。溫暖的友誼，使媽媽高興而感激，從她晴朗的笑容可以看出來的。如果我走了後，母親有這些友情在包圍，也許不會感到一時失去我的寂寞了，她知道我總有和一個男人結合的一天呀！

媽媽既然在愉快的處理她積壓的公事了，我便在人不注意的時候走出來。

昨天和前天都沒有和他見面，行期不知確定了沒有？我不便公開去送行的，這件事對我說來，倒也無痛苦可言，我本來就不愛熱鬧，怕在生人多的場合中出現，但是我要打個電話過去。

我到學校斜對面的電話亭去。但不知他今天在不在公司裡，因爲他這些日子已經不正式上班了。

當接電話的人讓我等一等的時候，我知道他剛好在，於是我把半敞開的電話亭的門關攏來。

他問我爲什麼兩天不見，擔心我是因爲母親病的關係，我說：「媽媽非常好了，今天已經去上班了。」

「那爲什麼不來找我呢？」

「希望養成不和你見面的習慣，好應付別後的日子。」

「是嗎？雲，但是我的行期定了。」

「定了？哪天？」

「後天，因此希望今天見到你。」

「現在嗎？」

「不。晚上在橋邊。」

「如果我不能來呢？」近來藉口出來似乎有些不便，不是充足的理由，媽媽總是要盤問的，病使她怕離開我。

「如果不能來？但那幾乎是我動身前的最後機會了。」他停了下又說，「無味的應酬給我排滿了，晚上九點鐘我一定可以趕回來和你見面。」

「好在我們沒有什麼重要的事。」

「難道不想見我嗎？雲！」

他這樣的叫我，原是很平常的，但是不知怎麼，忽然有一股莫名的悲哀衝擊上來，使我鼻尖發酸，我哽咽的說：

「想極了見你——所以不見你。」

電話停頓了剎那，他一定在奇怪我說的話。隨後他就溫和的問我：

「雲，你是在難過嗎？」

「沒有，我很快樂。」我顫抖的答覆他，我確實很快樂的，這樣全心全意的愛戀，像十五的月亮，是最圓滿的時候。但有一滴淚卻掉在電話簿上，我用手指把它抹開了。

「如果你覺得不和我見面更有意義的話，那就不見吧？」

「好的。」我克制自己，不，我折磨自己。

「但是我九點鐘的樣子還是會在橋邊走一走的，也許你來了，或者你不來，都隨你。」

「好。」

「我走了，媽媽病也好了，就該你好好地休息了。」

「嗯。」

「安頓好了我就寫信來。你到日本的事，我會託付這裡一位要好的朋友。」

「嗯。」

「你在一星期左右可以收到我詳細報告的信。」

「嗯。」

「爲什麼不說話了？」他發現我祇有答話。

「我祇要聽你說。」

「還是那麼孩子氣嗎？」他的話裡洋溢著無比的溫和，人家都說他陰鬱難以捉摸，完全錯了，他愛護我，依從我，熱戀我，關心我。

「我不是小孩子了，」我說，「我不但一天一天地不是小孩子，而且……」我說了吧，我還是說了吧！

「而且很大人氣了，是吧？那就好，到了日本，你就是一家的女主人了！」

「不，不是這個意思，你不知道的！」我的嘴變得這樣笨拙！外面已經有人在注視我了，是兩個拿著五角硬幣等待打電話的人，我衹好和他互道珍重再見，幾乎是斷然的，我把電話掛上了。

出了電話亭，我反而後悔起來了，我就這樣和他話別了嗎？這樣緊促的？他一定還拿著電話在發呆，我想像得出他那樣子，他是多麼使我傾心的男人。

母親在學校裡雖然很高興，但是回到家裡來，又鬱鬱不歡的了，也許是剛好做了一天事，疲倦了，晚飯後，她半躺在那裡吸著紙菸。

我說：「您還不適於抽菸吧！」

但是媽媽懶得回答我，衹瞥了我一眼搖搖頭，意思好像說沒關係。

我收拾好屋裡的書報，給媽媽倒了一杯熱茶，她在夏天反而要喝熱茶、熱湯，她說那樣出了汗才是眞正的解渴和解熱，不過近來她的眞汗、虛汗也出得太多了。

我剛坐下來陪著媽媽看報，外面的門鈴喊聲交加，一聽就知道是敏姨，她總是雙管齊下的。

我跑去開門，一看，敏姨的後面還站著一個——啊，是林教授，我是多麼高興他們來了，解除我和媽的無聊。

媽媽這時精神也振作起來，我又添了兩杯熱茶，他們都是同時代的人物，有同樣的見解，同樣的嗜好，同樣的希求。

小玻璃几上，三杯茶，三支菸，他們輕輕地談話，我閒坐在一旁。後來林教授退出她們的談話圈子了，因爲媽和敏姨談到她們倆的生活圈子上去，就不是他插得上嘴的。林教授轉過臉來問我近來學習的情形，我就拿出英文來向他請教。

他用英語緩慢地和我交談，眞慚愧，我的會話程度淺到連shall和will都攪不清，在人稱上常常用錯，他都耐心地講解給我聽，但是講解歸講解，實用歸實用，話從嘴裡溜出來，總是錯的時候多。

敏姨在一旁也笑了，她說：「你跟林教授學的機會可不多了，他又要出國啦！」

「是嗎？」我驚奇地喊：「您又到哪兒去？」

敏姨代他回答說：「這回可要去得久嘍，說不定三年兩年，四年五年的！」

「到底幾年？您什麼時候走？」

「還早呢！總要到明年的事了。」林教授回答說。

啊，我心裡笑了，那還在我走以後了。但是我又想入了非非——媽媽不可以同去嗎？我們母女倆都有了新生活了。海外萍蹤，會留下在台灣無限甜美的回憶！

敏姨打破了我的癡想，她說：「曉雲，要趁林教授沒有出去前，好好跟他學啊。」

「是的，那當然。」我漫應著。

這時已經九點了，橋邊還有一個約會我沒忘記，但是屋裡正說得熱鬧，我怎麼脫得了身呢！我起身，不安地走出屋門外，假裝著在找什麼，心裡打著鼓問自己，到底出去不出去？知道他會準時前去的，但是我不去也沒有什麼關係，思敬白天在電話裡說過，不管我去不去，他都在。我不去，他也不會怪我的。他也許不能準時，萬一有什麼事絆住了他，就會遲到也說不定。這樣自我安慰著，我就在院角拿了掃帚進來，輕掃著屋裡地上的零屑，輕掃著我心地上的不安的痕跡。

這樣消磨到快十點了，林教授首先提出告辭的話，他說如果敏姨還要談，他就先走了。我知道，他每晚還要讀兩小時書是多年的習慣，不肯把時間全消磨在窮聊上。

敏姨說一同走，她要媽也早些休息。我堅持要送他們走一程，他們不答應也得答應了。

出了家門，我們三個人原是同行，但一下子我就走在他們的前面了。實在我的心裡是惦記著藉此到橋那邊去。但是敏姨多讓人著急啊，她和林教授是用漫步式邊走邊談的，有時輕聲低語，有時仰天大笑，林教授卻是極穩重又文雅的派頭兒，他總是不急不切，適宜地談笑。

想到他如果眞能和媽媽結合，並且帶了媽媽出國，這可倒是使我意外地欣慰，因爲我到日本去，離開母親，顧慮的就是她的生活，現在看來，不是我們都有了歸宿了嗎？媽媽在美國，我在日本，我們雖然遠處異國，卻因各自有了伴侶，也就彼此可以安心了。但是我們母女要到哪年哪月才再見面呢？也說不定，比如有一天，他們歸國路經日本，我們會同去熱海看月亮呢！

我設想得很好，不免高興得像隻鳥兒在心上跳，跳來跳去，啄點著我的心，使我驚醒過來，問自己：有這麼理想的事嗎？

我亂想著，祇顧自己向前走，離開他們一大截了，不得不立定著等待他們一會兒，我是來送客的呀！

等他們到了前面，敏姨便叫我：「不要送了，回去吧！」我說：「好的。」看他們彎過街那邊，我卻轉身向另一個方向走了。

在人少的一段路，我就以小快碎步輕跑著，人多燈亮的時候，我就步子放慢了卻大踏步地走。我一路過橋去，眼睛注意的張望，黑暗的橋墩下，堤岸邊，我都不放鬆，但是沒有看見他。

錶針指到十點半了，離開他所約定的時間已經過了一個半小時。就算他晚來了半小時，也不會在這裡傻等了一點鐘還不離開，何況我說過不來的。

我抱著失意的希望，在堤岸邊漫步著。橋上的燈很亮，但車輛已經稀少了，我想我不如還是到橋上去，萬一他來了呢？——也許他第二次又走出來看看，我站在亮處，可以使他容易看見。

於是我就在橋上散步了，我停在橋欄邊，注視被燈光照耀的橋下的水面，燈光在黑色的水上閃動，使我想到我們曾多少次在橋邊約會和偎依，這些都將成爲生命上可紀念的回憶了！

是我的不對，這是在離國前我們最後一次在自己國裡的會晤，爲什麼我白天不肯答應來呢？然而他又爲什麼不強迫我呢？如果他說：「你一定要來，你一定要來！」我不就無論如何都會來的嗎？

他太好了，這也許是他的弱點，他總是不強迫任何人做任何事，也許這是他的消極成了習慣，就變得這樣了。想想看，他何曾對我有過一點點的嚴厲或變色，他爲什麼那麼溫存啊！

這時他回家去了吧？一定是像我現在盼望他一樣的盼望我，然後，手插在褲袋裡，無奈地，低著頭回家去。

十一點了，十一點十分了，我也無奈地，低著頭走向回家的路。

十八

今天是媽媽輪休的日子，但是她仍一早就出去了，也許因爲學校招生的事情忙碌，所以停止了休息吧！

昨晚失望的從橋邊回來，才發現信箱中有一封信，是文淵寄來的，他照例每月寄兩封信來。也許已經停在信箱中兩天了，近日的紊亂的生活和情緒，許多事都不顧了。

看著文淵的信，我很想寫一封信向他表明我的心跡，這有什麼不可以呢？我會和婉地告訴他，我即將決定的行止，和謝謝他一向對我的關懷，以及我們仍繼續手足般的情誼。他看了信也許會苦惱，但過一陣就會好的，因爲我對他的情感的程度，他一向就知道，我並非由戀愛中向他撤退，所以和別人的失戀畢竟不同。

要不，我先向另一個人表白吧，她更關心我，而且也曾對我起過疑心的，那就是美惠。

向我的童年以來的好友吐露心情，才是最自然的事情，何況許多事情，我還得要她的幫助，比如像說服母親，透露消息給文淵等等，不是她來做更適宜嗎？

明天一早，思敬就出發了，這時我才後悔，應當早日把他介紹給美惠認識的，許多人都是把她們的愛人先介紹給朋友，家人往往是最後認識的。美惠對他有了認識，向母親說服的理由才更充足，因爲如果母親不贊成的話，她會指責美惠說：「你又沒見過，怎麼就知道他可靠不可靠呢！」但是總說，也來不及了，祇好由我自己來先向美惠說服。

我攤開了信紙，寫下了「美惠」兩個字就停住了，我從何說起呀！

桌上菸缸裡有幾個殘菸蒂，旁邊還架著一支未吸完的，都是媽媽的成績。我不由得拿起了那半支菸，點燃起來，學著媽媽的姿態吸了一口，嗆得咳嗽兩聲，放回菸缸上架著。我奇怪人們是怎麼就會吸起菸來的？媽媽是在父親死後才點起菸來解愁的，敏姨說看學生筆記看得頭昏，才開始用菸來燻，都是很自然的，該當的，吸上了癮。

我不會吸上它的吧！但是此刻面前有一股細小的菸霧嬝嬝而上，頗能助人思緒，倒是眞的。於是，我聞著比吸著更舒服的菸味兒，放開了筆寫下去：

美惠：

新竹和你半日的晤聚，別後又快兩個月了。我和媽都以為你學校放假後會來台北小住的，誰知你來信說和李新有南部之行，因為你已得到父親的諒解，他要你們雙雙回去作客，所以不能北來，這是最令人高興的事了。

美惠，回家以後的情形如何，也沒有得到你的半點信息，也許你依在母親的身邊，重溫少女時代的生活的溫馨，她老人家不放你，你也就賴在娘家不走了，把我們都忘記了吧？

想像你這時已經回新竹了，接到我這封信是在你那瓜棚豆架下展讀的嗎？偎依在母親的身邊，的確是最愜意的事情，你可以偷懶、撒嬌、發脾氣，但是人生真奇怪，終有一天我們要離開母親的，狠心地離開母親！美惠，離開親愛的媽媽這件事，不但你做了，在不久的將來，我也要做了！美惠，教我如何向你說起呢！

我到新竹去看你的那次，實在很想跟你談談的，但是不知怎麼，無論如何找不出一個合適的開頭，我終於匆匆和你告別。

聰明的你已經看出我的不安了，所以你曾指說我是在戀愛中的話，一點也不錯。你猜和我戀愛的對象是屬於某個方面的，也很接近，但，那是很出你意外的一個人就是了。美惠，我剛才寫到這兒，停了好一會兒。我是在癡想，為什麼我那天不留在新竹跟你傾談，現在，事情變得不簡單了，我是多麼需要你的幫助！

那個人明天就離開台灣了，我們在另一個國家有個約會，因此我說我必得離開母親了。但真是奇怪，我的行動早就背叛了母親，但是心情無論如何也脫不開媽媽，這就是我的痛苦。為什麼這樣？就是因為它不頂正常。

媽媽的身體已經好了，我在考慮，什麼時候我看她禁得起她女兒給她這一記打擊時，我就什麼時候向她提出。美惠，我心不安極了，總是犯了我那個老毛病，事前的緊張，我把這些話向你說了，這時就好像舒服了些。

別以為我在給你這麼一封摸不著頭緒的信吧！媽媽和我昨天商量著，大約一個星期以後，我們就可以閒下來到你那裡住幾天，那時我們將詳細地談，我有太多的話。

但是你回信來先不要談這件事，媽媽，唉！媽媽恐怕還一無所知呢！

這樣的寫完了，自己再從頭看一遍，這種含蓄的語句，似乎祇有我一個人明白。我要摺起來裝進信封裡，不小心碰到即將燒光的菸支，一大截菸灰掉到信紙上，我把它抹開。美惠會奇怪，帶著菸味兒的信紙上寫著不明不白的話，是怎麼搞的？

我把信裝好，抽出來又看一遍，又怕說得太明顯了，又怕她看不懂，眞是矛盾極了。最後還是下決心用唾沫舐濕了封口的附膠，狠狠地用手掌拍打著，把它緊緊的封好了。我的巴掌好像在拍擊著我的嘴巴，責備我自己的不穩定。

我也把菸蒂擠滅在菸缸裡，學著媽媽的手法，當她思慮過多，要做最後的決定時，想必是這樣的吧！我想著，自己也好笑了。

媽媽眞奇怪，今天午飯也沒回來吃，事先她並沒有交代我，也許學校加班管飯吃，但是她身體剛好，是應當回來吃些柔軟適口的東西，並且休息睡個午覺的，她太負責任了，總怕失去了那份人浮於事的飯碗。

我把信放在桌上，疲乏地躺到床上瞇一會兒，不知道什麼時候，媽媽已經回來了。我連忙從床上起來，伸了一個懶腰，晃眼看媽媽的臉色不太好，是疲勞而憔悴的樣子，我接過媽媽的皮包說：

「您怎麼這時候才回來？」

「我去看個朋友。」

看個朋友？有什麼朋友是不能跟我提出名字來的呢？

「那——您吃飯了嗎？」

「吃了，在外頭隨便吃的。」媽的答話懶洋洋的，心裡像是還想著什麼別的事，眼睛呆呆地望著一處。

過了一陣子她重振精神，這才換下高跟鞋，點了一支菸吸。爲了找火柴，她走到書桌前，看見桌上的信，問道：

「給美惠寫信嗎？」說著她就拿起了信。

「哦！」我嚇了一跳，但想起那信已經封好了，即使沒有封，她也不會抽出來看的，「是呀，我想她大概從娘家回新竹了吧。」

「有沒有提咱們幾時去她家玩兩天的事？」

「提了，我說大概再過一個星期的樣子。」

「爲什麼不早點兒呢，明天、後天，嗯，大後天就去吧！」

「不。」我快速而堅決地否決媽媽的提議，媽媽爲什麼要提早呢？本來講好的是過一星期以後。「我還有點兒事，總得過一星期才辦妥。」媽哪裡知道，我是在等個信息。

媽聽了也就沒說什麼。她這時換下出門穿的衣服，我替她掛到櫥裡去。她今天出門非常的「正式」，穿著這件貴重的眞絲料旗袍，這是吃喜酒，做貴賓穿的，今天她是到哪兒去做貴賓啦？

媽這時已經躺到床上休息了，但她一時並未睡去，還在那裡側著身子吸香菸，眼睛一時看到天花板上，一時望到地下，祇是不肯面對這中間的我。說不定她是去和林教授有約會，其實那有什麼關係呢，我贊成這件事呀！

我把菸灰碟遞到床頭給她，順便倚伏在床欄杆上，撩好她的幾絲亂髮，不知所云的問：

「林教授出國的事定規了嗎？」

她搖搖頭，好像懶得理會我這句話，隨便地答道：

「誰知道！」

「能出國到處看看，倒是一件有意思的事。」

媽這回乾脆不理我了，祇管猛吸著菸想自己的事。

床頭剛好有一份報紙，她隨手拿起來看，翻到電影廣告版，看了一下，忽然吁了一大氣，說：

「有什麼好電影，看電影去好不好？」

「好呀！」媽媽還難得自己張羅看電影呢，是什麼事使她興奮或煩惱嗎？「您想看哪家的？」

「我也鬧不清，好多日子沒出去走走了，定好了看哪家的，找你敏姨一起去。」

也好，我們是愁悶難遣的一對母女，各懷心事，出去散散心，看看人潮與繁囂，有時會使情緒變化一下的。

「看完就在外面請敏姨吃點兒什麼，不用回家燒飯了。」

「好！」我很高興，指定了去看大世界的歌舞片，輕鬆愉快，賞心悅目，宜於病後的媽媽。

我去梳洗打扮，媽媽休息了一會兒也起來，重新穿上出門的旗袍。

順便拿了美惠的信去寄，我把信在手中輕打著，心裡說，把明日的離愁暫時打掉，有好幾個小時，我不會想起他了！

十九

這眞是一個令人興奮的早晨！梁晶晶的名字出現在她的第一志願的學校。昨天媽媽本已經把晶晶的分數查出來了，但是不能確定分在哪個學校，因爲那分數也許被分到第二志願也說不定。昨天爲了報告這個消息，曾打去梁家電話兩次都接不通，也許是梁家的電話壞了，或者沒人在家，祇好放棄打電話，好在是一夜之隔，早晨晶晶自己也會看見報的。

這對於晶晶的爸爸也是個好消息，他已經走了四天了，孩子能夠考入好學校，無論如何，我能說沒有功勞嗎？同時我也放下了一顆心，如果功課不太緊張的話，我希望晶晶繼續學舞，想像她如果跳起〈白鳥之死〉來，美妙不會在那次表演的女孩子之下！唉，〈白鳥之死〉！促成了我和思敬的結合。

我這時是站在院子裡看報的，眞奇怪，你所認識人的名字，怎麼會在千萬個人名中一下子就觸入眼簾呢？這時我是不是還要打個電話去祝賀她，或者我自己去她家一趟？買一件什麼可紀念的賀禮吧！

媽媽已經在梳洗了，當我把晶晶考取的消息告訴媽，她也很高興。她說：「你對得起他們。」這叫什麼話！

我們吃早點的時候，我對媽說：

「媽，我去梁家一趟。」

媽說：「去個什麼勁兒呢？」

「咦？」我說，「我教的學生，我難道不關心？而且，我要送一樣禮物給她，您說買什麼好？」

媽媽似乎對這沒多大興趣，她說：「用不著把這事看得這麼嚴重，那孩子不缺什麼呀！」

「您怎麼這麼說？」是的，媽也沒見過這孩子，當然不會比我關心，而且她最近確是懶懶散散的，那我就不必跟媽商量了。

媽媽吃完點心去上班了，又留下我一個人在家。我在書桌前搖晃著身子在計畫送晶晶什麼，並且打算請請她。我們將要離別了，等到再見面，我就要以另一種身分出現，這要是多久以後的事呢！

我要出去了，找衣服換，沒有他，裝飾對於我是顯得沒那樣重要了，但是我也要選一套心愛的。一抹晚霞映照在綠草茵上，這就是我現在要穿出去的一套衣裙的顏色，好像豔了些，但是我從不塗抹口紅，這就是我不同於別人的地方。他說不要我塗抹，蒼白使他對我產生強烈的愛憐，我是他心上人！我這時是多麼想念他。

外面有人在按門鈴了，一定是洗衣服的阿婆，她會拍著我的肩膀說我「卡水」呀。

門鈴又響了，我提了皮包，一邊向門外走一邊答應著：「來啦，來啦，阿婆桑！」

但是門一打開使我驚奇地喊了：「喲，晶晶，你怎麼來了？」

晶晶微笑地站在門口，她好像要講什麼，我卻又興奮地說：

「看見報上的榜沒有？」

她仍是微笑地點了點頭，沒有我預期得那樣高興，大概考得取是早在預料中的，所以也就不覺得頂稀奇了。

我要請她進來，她這才說：

「不，」她回頭指巷口說，「媽媽找你。」

「哦？——」我向巷盡頭望去，並沒她的影子。

「媽媽在橋下的茶座上等我們。」

「好的。」我嘴裡答應著，心裡卻想，她什麼事情這樣神祕的找我呢！

於是我關好了門就和晶晶一同走。我本打算先去買些小禮物送晶晶的，這樣一來，就沒法子買了，好在留待明天也沒關係。

晶晶和我並肩走著，意外的沉默，這是她對我從沒有過的現象，大概爸爸走了，總有些想念吧！我無所謂地問：

「爸爸來信了嗎？」我這是多此一問，他剛抵達東京呀！

「沒。」她搖頭簡單地說了一個字。

「想他了吧？」

她的頭動了動，既不像搖頭，又不像點頭。

我說：「昨天給你們打了兩三次電話，都沒有人接。」

「電話已經拆去了。」她頭沒抬，踢著地上的石頭子兒。

「拆了？」這倒是意外的事，難道男主人一走，公司就把電話拆去，也未免太現實了。晶晶沒有再對我的驚奇解釋一下，那我也就不便再問了。

仲夏的早晨，也許是一年中最可愛的早晨，但是再過一會就要燠熱起來了。水源路上空氣清新，這帶地方，無論是清晨或夜晚，都給我甜蜜的記憶，當我遠適異國的時候，這裡的景象會深印在心版上的；還有，雨中的散步，鬧不清我們關係的賣水果的老人，和他風中的偎依，他第一次把衣服披在我身上的溫暖……在在使我感覺無限的溫馨。

我們向堤岸下走去，晶晶立定住，張望了一下，才指著下面的座位對我望了一眼，好像說，就在那裡了。

可不是，她媽媽正面向河水呆望，背對著這邊，她不知道我們已經來了。快走到跟前，晶晶才輕輕地喊：「姆媽！」

她回過頭來，我們倆四目相視，不見面不過是十天，卻彷彿很久遠一樣，熟悉的面孔在我的面前陌生起來，隔膜起來了。她笑著說：

「怕你出去，所以早早去找你，喏，坐吧！」

她還是那麼老練。說實話，我不願和她在一起，她總有一股威脅的力量壓迫人。想想思敬，爲什麼這樣的兩個人會配在一起呢？

我沒話找話，再說一遍：「昨天給你們打了兩三次電話哪！」

「是的，電話拆脫了。」

「我是要告訴晶晶考取的事呢，因爲昨天就知道了。」

她微笑但不在乎地說道：「謝謝你，我今天就是要謝謝你的。」

「哪裡，我應當向你道賀。」

這時我已經坐下，茶房端來了兩杯清茶。晶晶卻伏在桌上，下巴頂著桌面，發呆的望著媽媽握著的那杯茶。

「晶晶，你上那邊看風景去，喏，」她指著河的上游，那塊空地，架著幾支竹竿子，晾著像掛麵樣的不知什麼東西，也有幾個早晨來游泳的孩子，「媽媽和夏小姐談談話。」

晶晶乖乖地起身去了。我們倆同時望著晶晶的背影。她這樣的口氣，意味著要跟我談什麼正經事的樣子。關於晶晶入學的事嗎？晶晶已經走遠了，我靜待著她的發言。她反而沉默了，那隻手不住地轉動玻璃杯，思索著什麼。

好一會兒，她才重振精神般的，直起了腰身，望著我說：

「多謝你教導晶晶，使她學業進步。」

眞奇怪，為什麼不斷地說著這樣客氣的話？我祇好說：「我一直都認為晶晶是聰明用功的孩子，現在考學校雖然難，但對於晶晶，考取是預料得到的，這是她自己的功績。」

「那可不見得。」她說著，便打開講究的皮包，手在裡面翻動著找東西，她先拿出一包紙菸來，點燃了一支，叼在嘴上。又從皮包裡面夾出一個信封來，她的手有些抖，也許是我的錯覺。她把信封放在桌上，又說：

「不過，晶晶卻不要入學了。」

「不要入學了？」這眞是個重大的消息，我還摸不著頭緒。

她從鼻子裡輕笑了一聲，非常之穩重地望了我一眼說：

「我們要離開這裡了！」

「哦！離開？搬到哪兒去？」怪不得電話拆了，也許，台中、台南，都有她的親戚。

「搬到日本去。」她努力地吸了一口菸。

聽了這話，忽然間，眼前紛亂了，看不清楚她的臉了，我爲什麼這樣呀？我不能鎮定些嗎？她又沒說別的。我嘴裡喃喃的，連自己也弄不清是說什麼。又聽她說：

「夏小姐，我知道你和你媽媽是很苦的，沈克康的太太跟我講過，我也很同情你媽媽的，但是你有你的前途，再苦也別走你媽媽的路子呀！」

她說的什麼話？何所指？有媽媽什麼關係？我完全紛亂了，不知所措。衹見她把白色的薄薄的信封推到我的面前，她勉強一笑的嘴角都斜了，她說：

「喏，一點意思，請你收下，留著跟媽媽用吧！」

「不！」我不知道裡面是什麼，但是這突擊而來的事情，我彷彿有些頭緒了，它使我渾身發涼，我發著抖把信封推回去，但她還是堅決地推過來，又說：「收下吧，我拿給你，就跟思敬拿給你，一樣嘛！」

她這樣羞辱我！而且還冷笑著！但那冷笑的面孔忽然激動得變成慘笑了，頃刻間眼裡有淚在打滾。

但她終於竭力自制，沒讓它滾出來，倒流回眼眶裡了，她又恢復了穩定的面孔，並且說：

「明天我們就到日本去了！思敬會奇怪，來的竟是我和晶晶。夏小姐——」她叫我，卻又停止不說了，咬著嘴唇，彷彿在計畫底下的話怎麼出口。我呢？我沒話可講，它太突然了，我毫無準備。但我的眼睛盯住她，我綳住臉，表示一些敵意。

她停了一下說：「夏小姐，我們朋友一場，不瞞你說，爲了不願意毀了思敬的前途，我也很苦哪，一次又一次的……」

她說到這裡，又去轉動那只玻璃杯，並且注視著它，「夏小姐，你明白我的意思吧？你要經濟上有什麼困難，就到公司裡去拿，我會交代他們的，我們總是願意幫助人的呀。」

她的話使我昏亂、羞恨，但是我一句話也無法反駁出來，因爲她是這樣會把握每句話的分量，不使它瀉溢卻噴人，我在迷亂中看她站起來了，又笑著說：

「夏小姐，一切保重了，我還要忙許多別的事。」

她提起皮包又笑笑點點頭，去了，向上游晶晶去的那條路上去了。

我呆坐在這裡，這時渾身才大大的打了一個寒顫，我還很糊塗，沒鬧清楚剛才的這一場會晤，究竟對於我是怎麼回事。這個信封，我打開來，抽出來的是一張一萬元的支票！

我一直沒有說話，祇聽她自己在講演，這是表示她勝利了嗎？她羞辱了我嗎？不，看她那就要滾出來的眼淚，明明是她承認自己失敗的淚！

一萬元，不是爲答謝晶晶考取中學的報酬，而是——而是表示向我哀求！啊！我勝利了，我勝利了，我眞的勝利了嗎？

我站起身來，拿著一萬元的支票，茫然的走向堤岸，走上大橋，早晨的清新的空氣已經沒有了，河水在烈日下搖盪，我在空無一念中，隨手就把支票扔下河去，它飄了飄，投身水中，隨著搖盪的波浪遠了。

事情會怎樣的演變下去呢？我也不知道，這時才產生了一個不太好的預感，有些事情也許眞的不簡單了，她不是說，思敬會奇怪來的竟是她們母女嗎？這樣的安排，思敬做夢也想不到吧？他也曾說，晶晶的媽媽寧可留在親友圍繞的環境中的話。每個人的估計都錯誤了。世事是一瞬萬變的。

內心的激動，使我疲乏，我踉蹌而行，顚顚倒倒地走回家裡去。

我脫下晚霞般艷麗的衣裙，隨手把它扔在地板上，也懶得去拾，我就這麼樣，把祇穿著奶罩和短褲的細長身子往床上一扔，就伏在大甲蓆上。這時世界上祇有我一個人了。他呢？他呢？他在哪裡呢？

清涼的大甲蓆，使我恢復了理智，我背誦著一句不相干的小詩：

忍受一切赤裸的真理，
注視周圍，全都平靜，
這就是主權的巔峰。

我回憶著過去的每一個人的小動作，每一件事的小枝節，都能和今天的事連接起來了。在愛情沐浴中的我，並沒有注意窗外的窺視者。

我抱住枕頭，聞著媽媽留在上面的髮垢味，啊，媽媽，她近日的情況也不免使我疑惑，夏文芳的出現，媽媽的不明的行蹤，我預感著——我緊緊地，緊緊地抱住枕頭想，我一定可以搜索或發現到什麼，不管是什麼！我放鬆了枕頭，由床上坐起來，穿上睡袍，走到書桌前去。

我翻了一陣子抽屜，沒有什麼發現，但在抽屜的一個小盒裡拿起了一個小鑰匙，我注視著它一會兒，這是媽媽的老式首飾箱上的，媽媽們常常都把她們的心藏在首飾箱裡。前天，我記起媽媽曾翻動那只小箱子的。

福建雕漆的小箱裡，有著上下兩層，裝了媽媽的一些小首飾、姥姥的遺物、鼻煙壺、瑪瑙珠，都不是値錢的東西了，還有一些抗戰時候坑死人的公債，命薄如紙，一文也換不到了，但是它們仍都被完整的保留著。它不會被拋掉，因爲那是記憶的保存。看見它，可以想到那個時代的生活，喚起溫馨或辛酸的情感。

下面一層是一些文件和信束，爸爸的種種證件，還有什麼用呢？北平的房契，向誰去要房子哪？一張我的小學畢業文憑，發黃的照片上，削瘦的我垂著兩條辮子。童年的生活，還値得我留戀嗎？但它已經遠去了，就是連純潔的少女的時代，也在我的狂戀中消失了！我把證書疊起來。這下面是什麼？一封給媽媽的信，嗯？寄到學校去的，孫曼雲女士啓，內詳。這是誰的筆跡，我竟一點也不認識，是林——嗎？一定是，不然怎麼値得保留起來呢！

我抽出來，心情很緊張。我不應當偷看媽媽的信的，但是我忍不住。

曼雲夫人惠鑒：

臨行前和您的會晤，使我明瞭了一些府上的情況。以前我曾多次要求曉雲，希望和您見面，都沒有合適的機會，現在想起來很是後悔。

今天您突然的光臨，我不但不會怪罪您，而且覺得是很應當的事，當時沒有答應夫人的請求，是因為任何人在那種情況下都不能自制的。在這一整天的時間裡，我再三地思索，回憶起曉雲最後跟我通電話時，不肯和我見面的話語，現在我悟解了，這也正是她對於赴日之行有了猶豫，曉雲是一個內向的女孩子，許多話她不肯直接説出來的。

赴日之行，這樣一來，對於我個人是毫無意義的了，但是我仍願尊重做為曉雲母親的您的意見——努力事業，把曉雲的影子埋在心底，如果這樣對於曉雲的幸福是有更高的價值的話。我現在決定答應您白天的要求了，雖然事情的奇突，心情不可能一時平復。

曉雲有一個正常而快樂的婚姻，也是我所安心的。您説俞君年後可返國和曉雲結婚，那時我也許會返國述職，並且參加曉雲的婚禮。一切都可以為曉雲，請夫人放心，我不會來信或有什麼行動纏繞曉雲。我幼失怙恃，嚮往母愛，當然不會把曉雲奪在我的身邊，您白天的話也許太激動了。請她暇時仍臨舍下，她和晶晶的情感很好。

臨行匆忙寫這封信，請夫人原諒它的草率和不敬。並祝安好。

梁思敬敬上

看了這封信，我雖在高度的緊張中，曾一下子把信紙團成一團，但隨即又把它展開了，眞奇怪，心情也意外地平靜下來！我爲什麼這樣呢？是不是久被壓迫的心情，一下子鬆散了？因爲許多事在我未做努力之前，已經被打消了！它完結得這麼快，像閃電一樣剝奪了我的一切！

連思敬都覺得事情來得奇突，他說他的心情不可能一時平復，如果再過幾天，他突然又看見晶晶和她媽媽出現在日本他的面前時，更會有奇峰突起般的驚駭吧。思敬，我和你是同命鳥，我們的脖子都被緊緊地扼住了。你這時在哪裡？去憑弔晶晶生母的墓嗎？去熱海看白色鱗波而懷念我嗎？我不去見你，正是爲了太想見你；我恨你，是因爲我太愛你。你竟沒有徹底地了解我啊！

我這時又愁悶起來了。

我把信件收回首飾匣裡，它雖被弄皺了，但是一時不會被媽媽發覺的。我把一切弄得毫無痕跡，又回到床上躺下來。

我仔細想想，他確是個容易遷就現實的人，就像我兩次談到《逃獄驚魂》和《魂奪情天》的結局，他曾說過，如果不使逃犯和壞女人被捕和死，社會的秩序怎能維持，雖然逃犯和壞女人都有他們善良的本性。他答應了母親的請求，不正是爲了維持一些秩序嗎？因此他請媽媽放心，他不會來信了，他不會纏繞著我，在我的耳旁輕喚著「雲」了，他也不會為我申請出境了。熱海之約，煙消雲散，怎能讓我立刻就相信！

拉琪這幾天也病了，懨懨地臥在松樹旁的小木屋裡。牠現在為什麼不停地在叫？我去看看。

原來牠是因為看見了一隻垂死的痲雀，剛好掉在木屋旁。拉琪是一個熱情的小狗，我把牠從木屋中抱出來，牠無力地倒在我的懷裡，我該帶牠去獸醫那裡看看。為了牠的熱情與好客，才追隨著思敬到他家去，冥冥之中，一定都是不可避免的，拉琪曾破壞了我們的事。但是我不恨你，拉琪，我從你這裡得到的快樂更多。

媽媽回來了，她奇怪我怎麼大白天換上了睡袍。我說裙腰勒得我難受，我感覺到我的體態已經開始變了。媽媽，如果她早知道這些，她還會去找思敬迫他擺脫我嗎？如果思敬早知道這些，他還會這樣簡單地放棄我嗎？這一切的差錯，都壞在什麼地方呢？怎能單怪拉琪的熱情？

我連思索的力氣都沒有了，抱著拉琪在中午的日光下，簡直想倒在草坪上。我對媽說：

「媽，我們下午就到新竹去。」

她奇怪地看著我。

「是您說的要今天去呀！」我再加一句解釋。

「但也是你說的，有事情要等一個星期才辦好呀！」

「現在不了，」我苦笑地瞪住媽，「現在一切都不需要辦了！」

媽媽啊，不是你都給辦好了嗎？

二十

美惠的床擺在窗下，躺下來，看白雲青天，坐起來，摘綠瓜青豆，有說不出的寧靜的景色。

我，被宰割後的小羊，躺在這裡，也許還要再受一次審判。

我和媽媽是昨天下午到新竹來的，風城並不是風季，美惠的家格外的靜謐。昨晚，我早早宣布疲倦上床了，故意留下媽媽和美惠夜談。我昨天一天連受了兩個打擊，心中在滴血，怎能安眠？我聽見外屋媽和美惠的竊竊低語，那該不是談美惠回娘家的事吧！更聽見媽媽唏噓飲泣，她一定是責備我，又心疼我。如果她知道另外的一件事，那麼她將更尷尬！因此我遲疑不知用什麼方式告訴她才好。

現在，媽媽到新竹女中去看朋友，美惠在收拾什麼，李新也上班去了。我倒在床上看一本婦女雜誌。這是一段題名〈少女珍重〉的文章，作者諄諄告誡少女們，如何珍惜黃金燦爛的少女時代；更告誡：社會是險惡的，談愛情要注意，一失足成千古恨，再回頭已百年身，不可漠視！不可漠視！談的都是老調，責備的正像是我。

我呆呆地望著這四個字「少女珍重」，忽然覺悟，我已經不屬於這黃金燦爛的時代了，它剛剛過去，儘管也曾有過黃金的愛，也曾有過燦爛的光。我把雜誌扔在腳下，美惠過來了。

她搬了一只矮凳坐到床前來。

「你看我怎麼樣？胖了點兒嗎？」她兩手摸摸臉，又伸長手臂翻轉著說。

「不能說胖，豐滿了。」我半開玩笑的。

「你可是又瘦了！」她輕拍著我的腿股。

我抿著嘴，無可奈何地笑說：「怎麼能不瘦！」說完不由得低下了眼皮，我有太多的委屈。

這樣，我們沉默了一會兒沒說話。

「小魚兒，」她叫著我最親切的名字，「我們得好好兒地談談了，是不是？」她終於先開口了。

我沒有答話，寫信要跟她談的是我，但是情形在急轉直下，我倒不知從何談起了。

「媽昨天晚上也跟我談了好久。」美惠說。

「我知道媽會跟你談的。」

「她說她卻從未跟你談過。」

「是的，如果我早跟她談……」

「也不會使她同意的。」

「媽既然知道了，爲什麼從不對我說什麼呢？」

「你這樣不了解你的媽媽嗎？」美惠是怪罪的口吻。

我搖搖頭。

「自從知道你戀愛的對象，她痛苦極了。爲了自己的過去，她說她難以責備女兒，她老實得連勸解你的話都說不出口，就自己急病了。她昨天說到這些時，難過得哭了。」

我把手絹繞在手指上，「我聽見了媽的哭聲。」

「你傷了她的心。」

「我知道我辜負了許多人。」

「對於別人倒也沒什麼了不起。」

「對於我自己呢？」我不知道爲什麼竟這樣反問了一句。

美惠沒有理會我的話，她祇管問我：

「他是怎樣的一個人？」

「他嘛——」我一時不能拿幾句簡單的話就包括他的全部，但我也還是說了，「人家都說他，不說話可是滿肚子主意。」

「你看他呢？」

「我不這樣想。」但是我不願替他辯護，人家有足夠的理由駁倒我。

「你和他交往不久，也許認識他不深。」是罷，我還沒說出他什麼，別人已經先給下了斷語。

「美惠，」我忍不住說，「我不管別人說他什麼，他很可愛。愛到我恨他。」

「爲什麼？」

「別人說他是個有主意的人，但是我恨他太遷就現實了，所以最後總是被人擊倒。」

美惠瞪眼聽著，似乎不懂我的話的意思，其實，我是在自說自話的。

「那麼——」她吞吐著，好像有什麼問題不敢提出來，「你是不是打算到日本去？」

「這是媽媽要你向我探詢的嗎？」

「因爲有些事實恐怕你不知道，還癡心地等待。媽媽的心情很苦，你不要責備她。」美惠的淚湧上來了。

「我都知道了，在昨天。恐怕有些事實媽反而不知道呢！昨天是魔鬼的日子！」

一萬元的支票，媽媽知道她也受盡人的羞辱了嗎？痛哭的該是我啊！

「媽媽奇怪你怎麼忽然提前要到新竹來？」

「我不是要來找你談嗎？你沒收到那封已成過去的信？」

「當然收到了。」美惠說，「我先問你，你還要去日本嗎？」

「我可能再去嗎？我知道，我一時不能去了，媽媽怕我還不知道我不能去的事實，所以要你婉轉向我說，是不是？」

「你一向是聰明的。」

「我現在並不糊塗。」

「人在戀愛中，常常失去了理智。」美惠似乎在一步步地盯緊我。

「幾乎是這樣，」我這時有些激動，「我愛他是沒有理由的，我多少次警告自己，要躲避這件事！要躲避！但是不可能，我越壓迫自己的思想，就越不能克制自己的行動。不要怪思敬，是我——」我兩手蒙住眼，用力壓住它，我要把即將流出的淚壓回去，我不肯哭。

我不說了，美惠也不說了。但是，等一下，等我激動的情緒平平，我還是要說的，我們既然已經開始談了。

美惠拉平我的衣服，摸撫著我的瘦肩膀，我的硬脊背，我的腰，她會感覺我的身體已經有了變化嗎？

好一會兒，我才把兩手從臉上放下來。

「知道晶晶生母的死嗎？」美惠問我。

「聽說過一點兒。」

「夏文芳對媽媽說，梁太太很厲害，絕頂的厲害，她到日本從晶晶的生母那裡把晶晶和梁先生帶回來，晶晶的生母是自殺而死的。」

我靜靜地聽著。思敬曾說，總有一天要講給我聽的事實，我竟無法從他那裡聽到了。美惠又說：

「當夏文芳跟媽媽講的時候，還諷刺了媽媽一句，她說：誰都像我娘那麼老實呀！試想想，媽媽聽了是否像針一樣的刺著她的心！媽媽認爲，梁思敬從二十歲起就受制於梁太太——如果從沒結婚時就算起，還不到二十歲呢。這種受制，梁先生雖然常常想求解脫，但已經成了他習慣的弱點，他是解脫不了的。想一想看，她一聲不響的表面上說不去日本，但暗地裡卻也在辦理到日本的手續，多厲害！」美惠說得很激動，頭上在冒汗，她用手去抹，暫時停止了一口氣說出來這段話。

梁太太，她很厲害嗎？像每個人所說的？但她的哀求的淚，是在我面前出現過的啊！我深深地吁了一口氣，美惠歇一下，又繼續她的話：

「媽媽說，嬌弱的你，如果去到日本的話，豈不又是一個晶晶的生母！會被她像鷹一樣地攫住你，多麼的可怕！」

「她像鷹一樣的可怕嗎？」我心不在焉地說，眼前浮現的卻是她的軟弱的淚。

「當然啦！你以爲她表面對你好嗎？她的機警比一個訪查你倆行蹤的私家偵探還厲害呢！媽媽聽了夏文芳說，對證著你一向的行動，她倒以爲夏文芳這樣告訴她是善意的。所以媽媽才決定了親自去見一次梁先生。」美惠說到這裡，看著我，似乎在等我的反應。

「我知道。」我說。

「你怎麼知道的？」美惠驚奇地問：「媽媽說你並不知道。」

「他有一封回信給媽媽，我看到了！」我軟弱地回答。

「哦?!」美惠很意外，「媽媽說，她並不恨梁先生，內心中也感覺他是一個善良的人，但是她卻不能不這樣做——要他和你斷絕，以免後患！媽說她忍受不了你如眞的到了日本而受摧殘的話。你恨媽媽嗎？」她最後問我。

「你知道我多麼願意她快樂的。」

「那就好。」她熱淚盈眶地笑了，好像爲一件重大的工作，曾經歷了一段艱苦的過程，而終於完成。她抹了淚又說：

「當你理智的分析這件事的利害關係，你的心境會漸漸平靜下去的。」

啊，美惠，你怎麼斷定它不久就會平靜下去呢？你何曾有過這樣艱辛的戀愛的經歷！

美惠又說話了：「文淵對你的癡心，也應當博得你最後的同情。」

「文淵？」我不由得冷笑了一下，他曾多麼忿憤地反對《一笑緣》的故事啊！但美惠不知道，她以爲我的笑是同意她的話呢！

「明年三月，文淵留學整整一年，他很用功，你知道的，碩士學位可以拿到了，學業也告一段落。媽希望他能回國來。」美惠說。

「明年三月？」我心裡暗算著，「爲什麼要明年三月回來呢？不能不回來，或晚點兒回來嗎？」

「何必那樣怕見他呢？他回來他的，與你又不相干！」

「那麼你又爲什麼提他？」

「唉，曉雲，你當然知道媽媽的用心，她仍是希望你們多有接近的機會。」

我覺得這件事情我必得說出口了，我顫抖地說：

「美惠，我和思敬眞的就是這麼完結了嗎？」

美惠從小矮凳站起來，倚坐近床沿來，用手拍哄著我：

「我知道你的心情的悲苦，誰能忍受這打擊，但是你必須也把他的影子埋在心底，當做這不過是你人生歷程上的一段插曲。」

「眞奇怪，」我閉上了眼睛，喃喃地說，「就是這樣嗎？我連他的一張照片都沒有，找他的影子眞要憑我的記憶了。我連他的字體都不認識，我從未接過他的一封信。但是，我竟得到一項最重要的紀念，」我睜開了眼，半坐起來，用胳臂支撐著我的身體，慘笑的說，「美惠，你不是要我生下第一個孩子一定要給你嗎？」我知道我的臉色多麼難看。

「什麼？」美惠睜大了眼，兩手按住我的肩膀，「你說什麼？」

我也直著眼看她，她搖動著我的肩，喊著說，「你說什麼，你？」

我被她搖晃得迷亂了，她終於伏在我的肩頭上哭起來。她孩子似的越哭越傷心。

「美惠，爲什麼哭？我都沒有哭呢！」

她使勁摟著我，抬起了她的臉，「我們倆的命運爲什麼變成這樣？我們同學的時候從來不會想到有一天我們是這樣的。我難過，我要回到做學生的時候……」她抽噎著，激動著說。

「我們都不是孩子了，」腳下的那本婦女雜誌翻開著，〈少女珍重〉的標題字很醒目，「美惠，我從小忍受過許多，現在更能忍受，你放心。媽媽上哪兒去了，怎麼還不回來？讓我自己告訴她！」

我忽然感到我有無比的堅強，我既然像世人所責備的，沒有珍惜我的黃金燦爛的時代，但是它卻給了我生命的最深的意義。我的經歷，使我成長，看，纖弱的我，竟孕育著另一個生命。愛，應當怎麼解釋啊！

我扶起了美惠，替她整理亂髮。在學校的時候，規定頭髮要剪到耳朵上一公分，露出耳垂來，我們輕輕的咬開帶殼的炒花生，互相給夾到耳垂上，當作耳環，笑聲充滿在教室的每個角落……那個時代雖然很遠了，但是現在，我們的友情仍然這樣密切，世界不盡都屬於悲苦的吧！

二十一

對外宣稱需要療養，我隱藏在新竹美惠的家，差不多半年了。

去年秋深的時候，我是一片枯葉，被吹到牆角，混著泥土和秋雨，滿身是又髒又濕。媽媽衹顧自己的悲傷，比起我來，她更神魂顛倒。她把憔悴的我安置在新竹，就懷著悲淒回到台北去，學校就開學了，她還得工作。

冬天來了，我蜷縮著。懷念媽媽的寂苦，我曾提起筆來寫信給林教授，要他照顧媽媽。我告訴林教授，我是一個沒有出息的女兒，不爭氣的身體使我倒在新竹。其實我倒健壯了，幫著美惠看學生的本子，縫製嬰兒的衣服，不知不覺地把淚滴在上面。我想像著水源路下的木屋，林教授踏著冬日的夜雨，探望竹籬笆裡的燈光，輕敲著小綠門。然後他和媽媽對坐燈下，談論著陶淵明田園詩的風格，姜白石詞琢句練字的功夫。林教授也會把法國的古詩篇〈玫瑰故事〉慢慢地講給媽媽聽，或者回憶抗戰時高昂的士氣，水木清華園中的風光。他們是同時代的人，會有無限的相同的感慨。或許林教授停止了語聲，沉思著，媽媽到廚房去煮兩杯熱咖啡……

林教授曾給我回信來，要我好好養病，並且寄來了泰戈爾的《飛鳥集》，說隨便什麼時候翻開隨便哪一頁來誦讀，都是使人安慰與平靜的，他並沒有說他是不是常看見媽媽。

寒假媽媽來新竹過年，美惠請教她如何剪裁嬰兒的衣服，她苦笑地對美惠說，她對嬰兒時期的我，虧欠許多，她不曾爲她自己所生的孩子剪過一件衣服，那都由姥姥辦理的。所以她拿起布來，不知從哪裡下剪子。

媽媽悲愴的情緒好多了，我們三個人，媽，美惠和我，同心祇爲未來的嬰兒。媽媽再回台北去，春天來了！

這是春天，又一個春風拂面薄如紗的日子。生命的蠢動發自我的身體，我很累。

前天，美惠帶著學生到青草湖旅行去了，我早早起來爲美惠準備野餐。走到屋後的小坡上去，找頭一天丟落在那裡的小書。天剛矇矇亮，我癡立了一會兒，右面的天空漸漸開朗了，呈現著淡玫瑰色。啊，想起我曾爲一個女孩子講過的那個水晶屛風的故事！那女孩子也曾把我的名字這樣解釋過，「夏天早晨的一朵小小雲兒」。如今這些離開我很遠很遠了，遠到不像是曾經發生過的事情，但是它卻清晰地呈現在我的眼前。直到那玫瑰的雲朵消失了，我才在冷露中醒過來。美惠已走了。

下午美惠回來，媽媽也意外的從台北來了，她氣色很好，穿了新製的春裝和細跟的美觀大方的黑漆皮鞋。

美惠在洗頭髮，她滿頭的肥皂沫跑過來說：

「媽媽今天好漂亮！」

「是嗎？」媽媽的笑有些嫵媚，我從來沒見過。

「這鞋子多少錢？」我問。

「二百八十塊呢，貴不貴？」媽媽伸著腳比前比後的。

「媽也豁出去了，薪水去了三分之一！」

媽做了一個淘氣的臉色：「可不是，明天要喝喜酒的緣故。」

「喝誰的喜酒？」我和美惠異口同聲地問。

「林教授結婚。」媽極其自然的說，「美惠，我今天就是來告訴你們夫婦倆……」

「什麼？」

「眞的？」

我和美惠不等媽媽說完，都驚奇地喊起來。我渾身感覺涼而下沉。

「和誰結婚？我們怎麼一點消息都沒有？」美惠把頭伸進臉盆裡去。

「哪，你們應當都知道。」媽媽向我這邊瞥了一眼，「就是我們辦公室的那位周小姐，初中時教過你們歷史的周老師呀！」

「周——老——師！」美惠不管洗髮水灌到脖子裡去，直起頭來向我驚奇地瞪著眼，然後笑了，「小魚兒，記得不記得，你在一張紙上祇畫了一個大鼻子？」

媽媽問：「那是什麼意思？」

美惠笑說：「一張紙上畫個鼻子，好大的臉呀，這不是您北平的俗話兒嗎？」美惠笑得哈了腰。

媽媽說：「噢，你們原來是說她臉盤又大又圓是不是？現在她不像從前那樣胖了，瘦多了，她的風度不是很好嗎？她是一個好人，周小姐，身世好，受的教育好，三十幾歲沒結婚，又是位小姐，對於林教授眞是最好不過的終身伴侶。」

媽媽一口氣的說了這麼一大套，彷彿在替誰辯護。美惠噘著嘴說：

「誰也沒說不好呀！媽媽，是誰給介紹的？」

媽無所謂地回答說：「我！」隨著就向我一瞥。

我正痲木的站在飯桌邊，心中亂糟糟的想著媽媽的那封信，我不信媽媽是眞的這麼高興。她不是說過：「……雖然有一天我接到您和別的女人結婚喜帖時，不無悵然！……自從接近了您以後，我早已感覺到我們是漸漸趨向情感之途……」啊，媽媽，是什麼使您這樣的？爲了「一切都不如我和雲兒的偎依更重要」嗎？穿著從未穿過的漂亮衣服，展開強作的笑容，掩飾著心中最大的悲苦……我知道媽媽，我知道媽媽。

美惠是傻子，她還在頻頻地向媽媽詢問林教授的情形，媽也把故事編織得很動人：

「……我一給介紹，雙方都很愉快，在我家裡見過幾次面，就行了，因爲雙方都需要結婚的。看，周小姐福氣不壞，馬上，他們就要出國了……」

原來水源路下的小木屋中，冬夜清談的，不是我所想像的祇有兩個人對坐！可能原來是兩人對坐而談的，媽媽又把心事講一遍，才決定介紹周小姐給林教授。而他呢？答應媽媽，正是愛護媽媽。啊！媽媽，我要奔向你的懷裡哭！

昨天，媽媽和美惠、李新同去吃喜酒了，把我一個人留在這裡。

我摸摸索索，百般無聊的過了昨天一天。吃了兩餐醫生叮囑的淡然無味的飯，是因爲腳部的浮腫。把拌了各種營養的糧食去餵那一群雞子，母雞帶小雞來啄食一陣，吃飽了就昂然舉步，躊躇滿志地又領著她的小兒女們走了。她眞了不起，又厲害，又慈愛，在母翼下，那群小雞是最安全的。

瓜棚下還掛著一只鳥籠，我要看看小黃米有沒有被吃光。這時藍天與綠草的琥珀鸚哥夫婦，近來相好得緊。記得天藍色的他，獨居籠中的時候，過著多麼愜意的光棍生活，不久，美惠的學生給他捉來了一隻同伴，草綠色的她，是一隻美麗而潑辣的姑娘，她來到這裡，就給了他一個下馬威，把他頭頂上漂亮的羽毛啄個精光，露出粉紅色的嫩肉來。但是他不反抗，他知道癡心是經得起時間的考驗的，他耐心地等待。後來他們和好了，不久她懷了孕，現在她已經在小屋中孵蛋了，嬌得要死！一粒米，一口水，都得他口含了去餵她，他鎭日地站在小屋外，像一個守衛兵。我一看他，他就眨眨眼不理我，彷彿神氣地告訴我：我高興這麼無微不至的服侍她，不干你事！

我看了母雞，看了小鳥，先是發出無言的微笑，但是繼而想到人類，想到目前，便覺愁悶難遣了。愛情雖相同，但因爲我們是人類，便複雜了。

昨晚李新一個人先回來，因爲美惠和媽媽要在台北逛逛，再準備些嬰兒用的東西，她們要等今天才回來。

李新回來後，給我講講他們簡單的婚宴的情形，新婚夫婦如何春風滿面的招待客人，新娘子的化妝和穿著是媽媽一個人張羅的，客人們都驚奇媽媽怎會有這麼一手本事，因爲新娘子的確在非常合宜的裝飾下，漂亮多了。

「想當年媽媽也曾經是一個漂亮的姑娘呢！」我對李新說，回憶自爸爸死後她的疏懶於裝扮的樣子，拖著雨水的絲棉袍，滿頭夾子的頭髮，一直到前天，她才算恢復了一次本來的面目，她原是一個俏女郎呢！

李新聽了我的話，也糊裡糊塗地說：「媽媽眞了不起！」

李新因爲今天一早就要去他工作的廠地調查什麼，所以昨晚催我早些睡。

他在對面的房裡已經鼾聲大作了，我還守著窗子看月亮。

月上中天，美極了，這是暮春初夏的月亮，不像秋月那樣清涼，或許是明天有風吧，月亮的邊邊是不清楚的。朦朧月，是不是這樣子？我祇知道這動人的詞藻，卻不知道它指的是什麼。

很晚很晚，我才入睡，念著「千里共嬋娟」這句話，祇覺無限依戀，是恨還是愛？

近來莫名的傷感，常常襲擊著我，我一直警告自己：我是堅強的，不是常常勉勵自己嗎？爲什麼還這樣不能自持呢？聽說懷孕的女人，都有這種莫名傷感的過程，但願它不是我個人的病態。

今天我聽著李新早起，我也吃力的早早起床。他說：「你睡你的，我走我的。」

「不。」我穿起肥大的晨衣去洗臉。

洗了臉回屋來，李新已經買來了熱豆漿和燒餅油條。他坐下來吃著，也給我倒了一碗，並且挪開椅子，使我的笨重的身子坐下去。

平日美惠在家，我是要幫著美惠伺候這位戶長的。把李新打發走了，才是美惠胡亂地吃一陣，抹抹嘴，提起書本，喊著：打預備鈴了，打預備鈴了，然後，騎上車子跑了。剩下來我，慢慢地吃，慢慢地整理。

今天反常了，原來李新也知道沒有太太可倚賴時，自己會去買點心的，並且，我像個客人似的被招待了。

我坐下來，李新已經吃好了，他穿上襯衫，一邊扣鈕子，一邊說：「不要緊吧，你一個人留在家裡？」

「笑話！我哪天不是一個人呢？你們都去上班上課了。」

「不是，」他走到我的身邊說，「因爲媽媽說這一兩天就要送你到醫院去。」

我咬住嘴唇沒再說什麼。李新輕拍著我的肩頭，說：「那我就去了，媽媽、美惠她們九、十點鐘就回來的，你總不會在這一兩個鐘點有什麼事吧？」他像一個淘氣的哥哥似地說。

「去吧你！」我趕走他。

又是剩下我一個人了，我這才打開紙包裡的一套燒餅油條來吃。

我有一口沒一口地吃，不是爲了飢餓，祇是要消磨這個早上。我撕開燒餅，專揀裡面的油條吃，油炸的味道很使我的胃口不舒服，我飽脹似地打了一個嗝，終於放下了。我把吃剩下的放在磁盤子裡，用包燒餅的報紙輕輕擦拭桌上的油漬。忽然，眼睛觸及那張報紙上的字，使我心動了一下！我停住了，把已經團縐的報紙打開來，才發現這是什麼雜誌上的一頁，哦，是《商工旬報》，翻過來再看看，醒目的標題上寫著：「旭光紡織公司近況。」

旭光！金色大字被鑲在有格子洞的金屬板上的那間大樓的影子，立刻浮現在我腦際。畢竟它是我所熟悉的！

順著那一行小標題一段段文字看下去，剛才所觸及的字，現在發現了：「駐日主任梁思敬轉赴西德！」

我的心卜卜地跳著，接著看下面的特寫：

本公司駐日梁思敬主任，已經奉命將赴西德就任新職。梁思敬主任年來在日的成就大有可觀，使本公司業務在日本有了良好的基礎。現董事會議決在歐洲開闢新市場，以西德為總樞，並一致認為西德主任的最佳人選，非梁氏莫屬。現在梁主任已首途由日返國，向公司述職，並料理私務後，逕赴德就任新職。並聞梁夫人何靜娟女士（亦為本公司股東之一）及梁氏掌珠梁晶晶小姐暫不隨梁氏赴德，因晶晶小姐在日勤習芭蕾舞，要待明年春方畢業……

我看著這條新聞，緊緊地捏著桌上的一把鑰匙，手都汗濕了。

我再翻回正面看這張報的出版日期，是前天的日子！

我有些不能自持了，要找一塊更清靜的地方平復我的心情。我走向後園外的小坡上去，這裡的小天地常常是屬於我一個人的，石墩已經被我坐得磨光了。

這時太陽還沒有完全升上來，晨風吹著我的綢衣，輕柔地摩擦著我的肌膚，使我的心也漾溢著一股暖流。彷彿我是置身在另一個夢境——四月裡的小溪旁，佇立著一個蒼白的少女，她是光了腳的，要試探溪水的溫度，她撩起裙襬正把纖秀的腳伸到溪水裡去。猛回頭，他站立在身旁，向她點頭微笑，他過來扶住她，輕輕地在她耳旁說什麼，她沒有聽見，祇覺得噓氣使她項頸發癢，但跟著他就把頭埋在她的頸上深吻著。

又彷彿他們離開了小溪，是一座花園，鳳凰木紅花耀眼，他離開了她的身邊，向她招著手，招著手，影子漸漸地縮小而消失，再回頭，花園也變成一塊空地……

我的頭昏昏的，空地正在我的面前，我再遠望去，上面是遼闊的天空，下面是無垠的稻浪，我祇是天地間渺小而孱弱的一個。

他又返回台灣了，這是最真實的事情。他離得我很近，如果我到電話局去，撥上五個數目字，立刻就可以找到他。我們說些什麼？他會不會說，我不能忍受對你的思念，所以回來了！到底他是爲什麼回來的？向公司述職，以外還料理私務，這是多麼引人發思的字眼兒啊！也許他會說，一切都成過去了，我明天就又離開台灣，到更遠的地方去，什麼都不必談了吧！

於是明天他眞的走了，倚在船欄上，向岸上歡送的人們招手，忽然他發現人群中有一個蒼白的臉，她是不塗口紅的，柔而長的頭髮披散在兩肩。他不招手了，認眞地看著痛苦的她，終於他忍心的離開船欄，消失在擁擠的乘客群裡……

明天，誰能把握住明天？誰能把握住早晨那片玫瑰的雲朵，不讓她自天空消失？明天又是一天了！誰能知道明天的曉雲會怎麼樣？誰又能告訴曉雲，她該怎麼樣！

天空寂靜，忽自遠方響來火車的汽笛聲，它像是痛苦的尖叫，也像是興奮的口哨。全憑你自己去感覺，去想像。媽媽她們是不是坐這趟車回來？

太陽燒上來了，把手按在石墩上滚燙的。

我很堅定，從小坡上下來，走回屋裡來。也許是坐久了，腹部感到一陣陣的緊縮。

熱極了，頭冒著汗，走到化妝檯前，對著鏡子看，啊！兩頰微紅的！是早晨消失在天空的玫瑰雲朵，飄移到我的臉上來了嗎？

好像健康了，感覺到生命不是就此了結，而是永恆的。

外面門鈴響了，讓我來開門，迎接媽媽。

院子裡，白芙蓉迎風搖曳，它早晨是純白的，晚上就變紅了，我順手摘下一朵。藍天上剛有一群鴿子飛過。

四十八年十二月在台北脫稿

國家圖書館出版品預行編目資料

曉雲／林海音文

初版，——臺北市：遊目族文化出版；城邦文化發行，2000〔民89〕

面：　　公分——（林海音作品集）

ISBN 957-745-297-3（精裝）・ISBN 957-745-298-1（平裝）

857.7　　　　89003546

〈林海音作品集1〉

曉雲

文／林海音
策劃／王開平
責任編輯／張玲玲、杜晴惠、張文玉
美術編輯／林意玲
封面設計／沈月蓮
出版者／遊目族文化事業有限公司
編輯所／台北市新生南路二段20號6樓
電話／(02)2351-7251
傳眞／(02)2351-7244
發行／城邦文化事業股份有限公司
地址／台北市民生東路二段141號2樓
電話／(02)2500-0888　傳眞／(02)2500-1938
讀者服務專線／(02)2500-7397　讀者訂閱傳眞／(02)2500-1990
郵撥帳號／18966004　城邦文化事業股份有限公司
網址／www.cite.com.tw
香港發行所／城邦（香港）出版集團有限公司
地址／香港北角英皇道310號雲華大廈4字樓，504室
電話／852-25086231　傳眞／852-25789337
E-Mail／citehk@hknet.com
馬新發行所／城邦（馬新）出版集團 Cite (M) Sdn. Bhd. (458372 U)
地址／11, Jalan 30D/146, Desa Tasik, Sungai Besi,
57000 Kuala Lumpur, Malaysia
電話／603-90563833　傳眞／603-90562833
二〇〇〇年五月初版一刷　二〇〇四年六月七刷
ISBN／957-745-297-3（精裝）　957-745-298-1（平裝）
定價／四〇〇元（精裝）　三〇〇元（平裝）
感謝財團法人國家文化藝術基金會贊助出版

財團法人|國家文化藝術|基金會
National Culture and Arts Foundation